Cécile KATTNIG

Chargée de mission à la Bibliothèque nationale de France
Formatrice en documentation audiovisuelle

GESTION ET DIFFUSION D'UN FONDS D'IMAGE

sous la direction de
Serge Cacaly

ADBS
NATHAN

Dans la même collection

174. Yves F. Le Coadic, *Usages et usagers de l'information*
217. Michel Bibent, *Le Droit du traitement de l'information*
213. Martine Combrerousse, *Histoire de l'information scientifique et technique*
252. Bernard Marx, *La propriété industrielle*
267. Claude Morizio, *La recherche d'information*

Internet : http://www.nathan-u.com
ISBN : 2-09-191150-X

SOMMAIRE

1

L'IMAGE MULTIPLE

Partout l'image nous sollicite, à la télévision, sur les murs de la ville, dans les magazines. Elle est devenue sans conteste un outil de communication. Agences de publicité, services techniques d'entreprises, services de communication des administrations territoriales l'intègrent dans leurs plaquettes ou leurs productions multimédia.

La diffusion d'images s'est accrue, favorisée par la technologie numérique et l'utilisation du réseau Internet. Depuis 1995, deux groupes américains, Getty Images et Corbis, rachètent des fonds iconographiques et modifient considérablement le « marché » des images, talonnés depuis peu par le groupe français Hachette Filipacchi Medias qui a récemment créé Hafimage, pôle dédié à la photographie.

> « L'enjeu a été cerné par des experts économiques : la consommation culturelle – et notamment celle des images – sera dans les prochaines années la locomotive de la croissance mondiale. »
>
> Michel Guerrin, « Photoreporters, les illusions perdues », *Le Monde*, 6 septembre 2000

Mais de quelle image parlons-nous ? que recouvre-t-elle ? quelles formes entrent dans notre champ d'étude ?

1. QU'EST-CE QUE L'IMAGE ?

Le terme d'image est très largement utilisé mais il prend des significations bien différentes lorsqu'il désigne une affiche, un dessin, une bande dessinée, une peinture préhistorique, une image de cinéma ou un clip vidéo.

L'image recouvre aussi bien les représentations s'inspirant des modèles du monde visible, la sculpture grecque ou celle du Moyen Âge, les compositions plus abstraites comme les peintures de Kandinsky mais également l'imagerie scientifique (ondes, rayons X, images macroscopiques…).

Nous nous attachons dans cet ouvrage aux images fixes reproduites sur un support photographique ou électronique et aux photographies elles-mêmes. En sont exclues les images en mouvement qui nécessitent une étude spécifique.

Cette approche est avant tout pragmatique. Elle s'appuie sur la situation actuelle des constitutions et regroupements de fonds d'images. Une agence comme Magnum photos comprend aussi bien des photographies de Joseph Koudelka et Henri Cartier-Bresson que des images d'œuvres d'art du photographe Erich Lessing. Keystone, quant à elle, regroupe les images du fonds d'origine mais également les reproductions issues du journal *L'Illustration*. Les collections peuvent donc rassembler à la fois des affiches, des photographies, des dessins, des estampes, mais également des reproductions de peintures, de sculptures ou d'objets muséaux. Pour permettre conservation et valorisation de leurs collections, les bibliothèques, les musées comme les agences photographiques engagent des programmes de microfilmage, des campagnes photographiques ou de numérisation.

Voici rapidement rappelée l'évolution des techniques liées à la fixation et à la reproduction des images.

1.1 Estampes et procédés de gravure

Les estampes, notion générique des procédés de reproduction par impression, se sont développées au XVIe siècle et des collections se sont constituées dès le XVIIe. Ainsi l'illustration a évolué au fur et à mesure des apports techniques de la gravure :

– Le dessin à la plume et à l'encre, pratiqué par des artistes comme Raphaël (1483-1520) ou Gustave Doré (1832-1883) : le dessin est en fait repassé à l'encre.

– La gravure sur bois ou taille d'épargne pratiquée par Hans Holbein (1497-1543) : le dessin est réalisé directement sur le bois et l'entourage creusé. Le dessin est ainsi mis en relief.

– La gravure sur cuivre ou taille-douce pratiquée par Albrecht Dürer (1471-1528) : le dessin est fait au burin ou à la pointe sèche. Chaque trait ainsi creusé est encré. Le dessin est donc mis en creux.

– L'eau-forte ou aquatinte pratiquée par Rembrandt (1606-1669) : la plaque de métal est recouverte d'un vernis sur lequel le dessin est exécuté avec une

pointe. L'acide nitrique, l'eau forte dans laquelle le métal est plongé, creuse les parties dessinées. La plaque est ensuite encrée comme une taille douce.
– La lithographie pratiquée par de nombreux artistes comme Henri de Toulouse-Lautrec (1864-1901) ou Honoré Daumier (1808-1879) apparaît en 1796 découverte par l'Allemand Alois Senefelder : le dessin est exécuté sur une pierre de calcaire avec une encre grasse. Première révolution car elle permet d'imprimer sur un support plat sans avoir recours à la gravure. La pierre de calcaire est progressivement remplacée par la plaque de zinc. La lithographie couvre vite le secteur industriel de l'image laissant la gravure sur bois aux éditions populaires et la gravure sur métal aux artistes.

Ainsi apparurent les journaux illustrés *(L'Illustration, Paris Soir, L'Intransigeant)*, les affiches[1], les séries d'estampes d'imagerie populaire comme les images d'Épinal[2].

1.2 Les débuts de la photographie

• *Quatre hommes,* par des approches différentes, vont participer à l'invention de la photographie qui évoluera tout le long du XIXe siècle avant d'aboutir à une application industrielle :
– Joseph Nicéphore Niépce (1765-1833) fixe une image en utilisant une couche photosensible, une plaque d'étain enduite de bitume de Judée (1816 et 1826). Il est à l'origine du principe de l'héliographie avec la première image de l'histoire de la photographie intitulée « la table dressée ».
– Louis Jacques Mandé Daguerre (1787-1851) met au point le premier procédé photographique en 1837 à partir des travaux de Nicéphore Niépce : « le daguerréotype » et le présente le 19 août 1839 devant l'Académie des Sciences et l'Académie des Beaux-Arts à Paris où François Arago (1786-1853) l'annonce solennellement. À partir d'une plaque de cuivre argentée rendue sensible à la lumière par une exposition à la vapeur d'iode, Daguerre obtient

1. Pierre Fresnault-Deruelle, *L'Image placarde,* Paris, Nathan université, 1997.
2. « Usages de l'image », *Ethnologie française*, n° 2, Paris, Armand Colin, 1994 ; le fonds de la société Pellegrin est déposé aux archives départementales des Vosges qui numérisent ce corpus en haute définition.

directement une image positive, unique et non reproductible. L'image ainsi réalisée est d'une grande précision.
– Hippolyte Bayard (1801-1887) obtient en 1839 des images positives directement sur papier. Son procédé est à mi-chemin de ceux de Daguerre et de Talbot puisqu'il permet d'obtenir une image unique sur papier sans passer par un négatif. Nous lui devons plus de 200 photographies d'objets d'art et de vue de Paris.
– L'Anglais William-Henry Fox-Talbot (1800-1877) obtient le premier négatif en 1841 : « le calotype » à partir duquel plusieurs exemplaires peuvent être tirés. C'est le procédé négatif/positif. Hippolyte Bayard devient dès 1842 un des meilleurs praticiens du calotype et participe à la Mission Héliographique, premier recensement photographique du patrimoine architectural français. Le Lillois Louis Désiré Blanquart-Evrard (1802-1872) améliore le procédé en 1847 en rationalisant la méthode de fabrication des négatifs papier qui lui permet d'engager une politique d'édition photographique. Il ouvre son imprimerie photographique où il publie, entre autres albums, les photographies réalisées par Maxime du Camp (1822-1894) lors du voyage de ce dernier en Égypte.

• *De nombreux autres créateurs ingénieurs participent à l'évolution technique de la photographie :*
– Gustave Le Gray (1820-1884) améliore le procédé en introduisant la technique du négatif papier ciré en 1850 qui réduit le temps de pose.

Avec l'émulsion à l'albumine due à Claude-Félix-Abel Niépce Saint-Victor (1805-1870) en 1847, puis à l'émulsion au collodion humide de l'Anglais Scott Archer en 1851, le support papier est remplacé au profit du négatif sur verre. Dès lors, les améliorations porteront sur la qualité des supports et des chimies.
– Richard Leach Maddox (1816-1902) invente en 1871 l'émulsion aux sels d'argent, c'est-à-dire le gélatino-bromure, ce qui permet d'avoir des plaques prêtes à l'emploi, de bonne définition et suffisamment sensibles pour réduire les problèmes de pose. L'instantané est né.

Université d'Ottawa
University of Ottawa

Prêt / Check Out

29003950213497 13:49 2019/01/28

1. Gestion et diffusion d'un fonds d'image / Cecile Kattnig ; sous la direction de Serge Cacaly.
39003025840132 Due / Dû: 19-02-25

2. La gestion des archives photographiques / sous la direction de Normand Charbonneau et Mario Robert.
39003024523069 Due / Dû: 19-02-25

Total 2 article(s).

L'Université Canadienne
Canada's University
www.biblio.uOttawa.ca

• *Parallèlement à ces évolutions chimiques, l'appareil photographique connaît une « révolution ».*

Finies les grosses chambres de bois utilisées par les explorateurs voyageurs, archéologues et reporters des années 1850-1880 ! George Eastman (1854-1934) crée le premier appareil photographique « Kodak » en 1889 avec le slogan « appuyez sur le bouton, nous faisons le reste ! ». Ce dernier commercialise dès 1886 le négatif film sur lequel la couche sensible est pelliculable.

En 1869, Louis Ducos du Hauron (1837-1920) et Charles Cros (1842-1888) découvrent le procédé trichrome sans toutefois d'application. La photographie couleurs apparaît en 1903 par l'invention des frères Auguste et Louis Lumière et « l'autochrome » est commercialisé en 1907. La plaque de verre est recouverte d'une mosaïque de grains de fécule de pommes de terre teintés aux 3 couleurs fondamentales. Ce procédé fut choisi par les opérateurs photographes du banquier Albert Kahn dans leur travail « d'inventaire planétaire » dans les années 1910-1929.

La pellicule Kodachrome apparut en 1935, l'Ektachrome en 1947 simultanément à l'apparition du Polaroïd dû à Erwin H. Land et enfin le Cibachrome est mis au point en 1963 par Ilford.

• *L'engouement pour la photographie a été réel dès le développement du daguerréotype.*

On parle même de « daguerréotypomania ». Il se pratique pendant quinze ans dans le monde entier. Les premiers voyageurs, explorateurs et archéologues l'utilisent comme instrument de connaissance. Toutefois son domaine de prédilection reste le portrait. Les studios fleurissent en Europe et surtout aux États-Unis.

Le calotype, malgré des contraintes techniques, doit son succès à sa reproductibilité et à sa facilité de manipulation. Il sera utilisé par les voyageurs explorateurs de la Mission héliographique en 1851, inventaire auquel travaillent cinq photographes dont Édouard-Denis Baldus (1813-1890), Gustave Le Gray (1820-1884) et Henri Le Secq (1818-1882).

Pendant cette période très riche, les photographes pratiquent daguerréotype, calotype ou support verre. Ainsi l'Américain Mathew B. Brady (1823-1896) réalise des daguerréotypes mais également des tirages à partir du négatif verre. Les ateliers photographiques apparus avec la vogue du daguerréotype prennent de l'essor avec l'usage du négatif verre. Citons l'atelier de Félix Nadar (1820-1910), celui d'Eugène Disderi (1819-1889) ou encore le studio Étienne Carjat (1826-1906) qui eurent un succès considérable.

La photographie a ses lettres de noblesse : la Société Française de Photographie, créée en 1854, organise sa première exposition en 1859. La photographie, dès ses débuts, investit le champ documentaire des sciences avec les explorateurs et scientifiques mais aussi le champ de l'art avec un véritable travail du regard – citons les portraits de Félix Nadar ou de l'Anglaise Julia Margaret Cameron (1815-1879), les marines de Gustave Le Gray ou encore le Paris de Charles Marville (1816-1873). Avec l'introduction de l'émulsion au gélatino-bromure, le photographe apprivoise le « temps », l'instantané étant techniquement possible. Il s'ouvre à un champ étendu de possibilités, étude du mouvement par Edweard J. Muybridge (1830-1904) ou observation scientifique des malades par Albert Londe (1858-1917).

L'événementiel entre dans le champ photographique. La guerre de Crimée par l'Anglais Roger Fenton (1819-1689) et la guerre de Sécession par l'Américain Mathew B. Brady seront les premiers événements d'actualité à être couverts[1].

1.3 La photographie et la presse

Pendant la période de 1829 à 1880, les procédés de reproduction se développèrent mais avec parfois une instabilité dans l'impression et l'impossibilité de produire véritablement de façon industrielle. Ce fut le cas de l'héliogravure et de la phototypie. Cette dernière, réalisée sur verre en 1868 par Eugène Albert, permet de tirer de nombreuses épreuves à partir d'une même plaque. C'est pour cette raison qu'elle est fortement utilisée pour reproduire les cartes postales.

La photogravure ou procédé par trame, découverte en 1856 et appliquée en 1878, permet l'illustration d'ouvrages, de journaux et de magazines avec un tirage en nombre. L'image, reproduite sur une plaque métallique, à travers une trame, restitue les demi-teintes par une série de points variables selon la densité du cliché. La plaque est gravée en relief. L'impression à

1. *Le Photojournalisme,* Paris, CFPJ, 1993.

grand tirage va se développer rapidement avec les machines rotatives puis l'offset.

Le *New York Daily Graphic* est le premier journal à publier une photographie à la une le 4 mars 1880[1]. En France, Pierre Laffitte lance le quotidien illustré en 1909, *L'Excelsior.*

La photographie s'impose dans la presse comme moyen d'illustration sous la triple impulsion de l'instantané photographique, de l'évolution des techniques de reproduction et de la mise au point d'appareils photographiques (Leica en 1925, Rolleifleix en 1929).

Le reportage photographique s'est véritablement développé dans la presse et dans la mode. Les magazines illustrés comme *Berliner Illustrierte Zeitung* (1925), *Vu* (créé en 1928 par Lucien Vogel), *Life* (créé en 1936 par Henry Luce), *Regards* (créé en 1932)[2] ou ceux de la mode comme *Vogue* et *Harper's Bazaar* en sont les nouveaux commanditaires.

Des agences photographiques se créent dès les années trente, regroupant des photographes indépendants pour alimenter cette presse en pleine croissance et assurer la circulation des images : Dephot (Deutscher Photodienst) à Berlin en 1928, Alliance photo à Paris en 1934 et Rapho à Paris en 1946. Après guerre, la profession s'organise. En 1947, Henri Cartier-Bresson, Robert Capa, David Seymour et Georges Rodger créent l'agence coopérative Magnum pour faire du reportage « de qualité » affirmant le droit d'auteur et leur propriété sur le négatif. D'autres photographes fidèles à cette position les rejoignent.

1.4 Transmission de l'image

L'évolution technique porte également sur la transmission à distance. Les rédacteurs de journaux diffusent leurs textes par ligne télégraphique. En 1907, Édouard Belin, inspiré par les travaux de l'Allemand Arthur Korn, invente le « bélinographe » et réussit à transmettre un cliché de l'arrivée du président Raymond Poincaré à Lyon publié dans *le Journal* le 12 mai 1914. Ce « bélino » ou « belin » permet désormais la transmission des images par

1. Gisèle Freund, *Photographie et société*, Paris, Le Seuil, 1974.
2. Gaëlle Morel, « Du peuple au populisme. Les couvertures du magazine communiste *Regards* (1932-1939) », *Études photographiques*, n° 9, mai 2001, pp. 45-63.

radio puis à partir de 1925 par ligne téléphonique. Sur le plan international, la presse et les agences s'équipent rapidement de ces « valises télégraphiques ».

Ce procédé utilisé jusqu'aux années 1990 a modifié les pratiques des photographes de presse par plus d'autonomie, bien que par ailleurs, la qualité des images produites soit très variable. Certes, aujourd'hui, la transmission numérique, beaucoup plus fiable et plus rapide remplace progressivement le « bélino ». C'est le mariage des télécommunications et de l'informatique qui représente la dernière grande révolution. Les satellites, d'une part, les fibres optiques et le laser, d'autre part, permettent d'accroître le volume d'informations transmises et d'accélérer les vitesses de transmission.

1.5 L'image « numérique »

L'image entre dans l'ère du « tout numérique », qui bouleverse les chaînes de production, photographique et éditoriale. Elle est le résultat, soit d'une prise de vue numérique, soit d'un document iconographique scannérisé.

Pendant une vingtaine d'années, de 1970 à 1990, le développement des mémoires optiques basé initialement sur le traitement analogique de l'image permet la réalisation d'archivages importants de fonds d'images couplés aux bases documentaires existantes. Le vidéodisque Laservision et interactif peut contenir 54 000 images fixes par face. Bien qu'il soit non inscriptible et qu'il nécessite un gravage et un pressage en usine, des collections très importantes le choisissent pour sa grande capacité et son traitement « en charter » : l'EDF *via* la Sodel, le *musée* départemental Albert Kahn, le photographe Marc Garanger, le ministère de la Culture, le ministère de l'Équipement, l'Institut du Monde arabe, la Bibliothèque nationale et universitaire de Strasbourg, le département des estampes et de la photographie de la Bibliothèque nationale de France. L'apparition du DON (disque optique numérique) inscriptible ouvre le champ de nouvelles pratiques. L'installation d'équipements pour une production in situ devient possible bien que ce support ne soit pas encore standardisé : ministère de la Défense, France 2, musée d'Orsay, Agence Gamma photos. Depuis les années 1990, la montée en puissance des micro-ordinateurs, la standardisation et le développement des mémoires optiques, la normalisation de la compression et de la transmission d'images participent fortement de cette évolution.

Les modifications dans les pratiques de travail sont déjà effectives : les grandes agences photographiques numérisent une sélection de leurs productions quotidiennes qu'elles diffusent sur les réseaux pour leurs abonnés.

Les rédactions des journaux et magazines intègrent progressivement les images dans leur chaîne éditoriale numérique. Les entreprises se transmettent entre filiales les images par intranet. Les campagnes de numérisation permettent aux musées de mettre en valeur les collections dont ils ont la charge, au-delà de la protection des documents originaux par la réalisation de produits (cédéroms, catalogues, multimédia, édition de cartes postales, sélection d'images présentées sur internet, parcours thématique sur le site du musée).

L'expérience du Service Image Directe (1988-1994) a été un précédent dans l'évolution des usages. Ce service créé par Tribun, filiale de France Télécom, est basé sur l'utilisation du réseau Numéris (RNIS : Réseau numérique à intégration de services). Il proposait une base d'images alimentée par des agences photographiques partenaires (Gamma, Kipa, Orop…) à des services photos de magazines abonnés. Quotidiennement les clients pilotes *(Le Pèlerin, TV magazine, Télé 7 jours, Elle, VSD)* recevaient sur un poste dédié les reportages photographiques légendés. Ils pouvaient consulter, sélectionner ou intégrer les images par l'utilisation de chutiers et de mode de visualisation approprié (imagette, plein écran, mosaïque).

Depuis, l'apparition du World wide Web a permis à l'usager un plus grand confort par la consultation d'images issues de différents serveurs sur une interface commune. Le détenteur d'images, photographe indépendant ou petite agence, y voit ici une opportunité à moindre coût de se faire connaître par des revues comme www.grandreporter.com, www.revue.com, www.photographie.com, www.gms.lu.eye, www.foto8.com, www.havalook-photo.com ou des sites personnels comme celui de Thierry Urbain : //mapage.noos.fr/urbainth.

2. Place de l'image

Si l'usage de l'image est avéré au fil de l'histoire : images populaires, affiches propagandistes ou publicitaires, photographie scientifique ou événementielle, sa place en revanche varie à l'intérieur des institutions ou des entreprises qui l'utilisent. Plusieurs profils de fonds d'images sont à distinguer :

– La collecte acquise, déposée ou constituée dans un souci patrimonial qui fait généralement l'objet d'un traitement particulier en matière de conservation comme le musée Niépce à Chalon-sur-Saône, le musée Albert Kahn à Boulogne ou les Archives photographiques du ministère de la Culture à Saint-Cyr[1].

– Les agences photographiques, engagées dans une activité commerciale, mettent en place une chaîne de traitement du développement en laboratoire photographique jusqu'à la mise en ligne des images numérisées *in situ*.

– Les journaux et magazines sont avant tout des utilisateurs d'images, que celles-ci résultent de reportages commandités ou de recherches iconographiques dans les sources existantes. Parfois, dans des secteurs spécialisés comme le secteur médical, les périodiques constituent eux-mêmes leurs propres fonds.

– Les services de communication, qu'ils soient attachés à une entreprise ou à une collectivité locale, affichent des besoins croissants en illustration tant pour les publications périodiques, les plaquettes ponctuelles ou les expositions thématiques que pour les cédéroms promotionnels. Ce profil est d'ailleurs le plus fréquent.

– Les chercheurs, ingénieurs et scientifiques des services techniques, réalisent eux-mêmes des images qui constituent des bases de travail. L'exploitation et la valorisation de ce matériel photographique sont précieuses. La création de la base Indigo par la photothèque de l'IRD (Institut de Recherche pour le Développement, ex-ORSTOM) et son partenariat avec le serveur d'images scientifiques Serimedis[2] (Institut Pasteur, INSERM, musée d'histoire de la médecine, Assistance publique-Hôpitaux de Paris) en sont un exemple[3].

1. Dès à présent, une banque d'images, MÉMOIRE, en cours d'enrichissement est accessible par le portail www.culture.fr
2. www.serimedis.tm.fr
3. Claire Lissalde, « Indigo Base : la banque d'images fixes numérisées de l'Orstom », *Documentaliste-Sciences de l'information*, janv.-fév. 1998, vol. 35.

LES COLLECTIONS D'IMAGES

Avant de s'interroger sur la pertinence de la mise en place d'une chaîne de traitement d'images, voici un survol des différents types de fonds existants en France.

1. Les fonds d'images

Les agences d'images et les photothèques organisées sont très disparates tant par leurs volumes, les sujets traités, la variété de leurs supports que par l'objectif affirmé de l'entreprise ou de l'institution qui les collectent.

1.1 Les agences de presse télégraphiques

Créées au milieu du XIXe siècle, ces agences, Agence France Presse (AFP), Associated Press (AP), Reuters, United Press International (UPI) pour les plus importantes, diffusent par abonnement les dépêches écrites puis intègrent progressivement les images. AP crée son service photo en 1935, UPI crée le sein en 1958 et Reuters seulement en 1985. AFP, héritière du fonds images de l'agence Havas datant de 1934, crée son service photo en 1958. La politique de production est centrée sur une couverture mondiale et quotidienne de l'actualité. La fourniture est rapide par l'utilisation des systèmes de transmission et un réseau de correspondants et de bureaux bien établi. À cet objectif premier de diffusion systématique aux abonnés, elles s'adjoignent progressivement un accès rétrospectif à leurs archives *via* internet. L'AFP a ouvert son service en ligne, « Image Forum » en 1999.

1.2 Les agences d'actualité, news et magazines

Ces entreprises commerciales produisent, diffusent et conservent des reportages photographiques complets, les « news » dont elles vendent les droits de reproduction dans le monde entier. Les trois plus grandes agences photographiques mondiales, Gamma (1967), Sygma (1973) et Sipa (1973) se sont installées à Paris lors de leur création, alors position géographique privilégiée. Elles couvrent l'actualité immédiate mais traitent également des « *features* », reportages approfondis autour d'un sujet magazine et du « *people* », portraits ou reportages sur des personnalités de la politique et du show biz. Ce secteur du « people » est d'ailleurs croissant depuis une vingtaine d'années, en atteste sa part dans leur chiffre d'affaires.

Très rapidement, le volume des archives « explose », c'est en millions qu'il s'estime. Les agences informatisent, décrivent et numérisent leurs archives tout en rachetant des fonds anciens pour étendre leur champ d'investigation commerciale. Ainsi Sipa Press rachète les agences Paris Jour, Dalmas, Eclair Mondial, et Sygma l'agence Apis. L'achat de l'agence Sygma en juin 1999 par la société Corbis marque véritablement un tournant dans l'histoire de ces agences et de leur autonomie. En 2000, Hachette Filipacchi Medias, après le rachat des agences Gamma et Rapho, acquiert l'agence Keystone, créée en 1927, qui détient un fonds de 7 millions d'images couvrant la période 1920-1960[1]. Enfin, courant 2001, Sud Communication, propriété personnelle de Pierre Fabre, patron des laboratoires pharmaceutiques Fabre, rachète l'agence Sipa[2].

1.3 Les agences de photographes

Ces agences sont gérées par les photographes eux-mêmes pour préserver leur autonomie face à la presse et contrôler l'utilisation faite de leurs images. La plus prestigieuse est sans conteste l'agence Magnum créée en 1947 sous la forme d'une coopérative par Henri Cartier-Bresson, George Rodger (1908-1995), Robert Capa (1913-1954), et David Seymour dit Chim (1911-1956). La particularité de ces agences n'est pas dans les sujets traités qui peuvent être également représentés dans les agences de news, mais dans l'approche du photographe. Ils sont avant tout auteurs ; ils choisissent, sélectionnent et légendent leurs images avant la mise en diffusion. Certains

1. Hachette affirme ses ambitions dans la photo de presse, *Le Monde,* vendredi 1er septembre 2000, p. 16.
2. Sud Communication rachète l'agence photo Sipa, *Le Monde,* samedi 7 septembre 2001, p. 36.

n'hésitent pas à approfondir un sujet sur plusieurs années comme Patrick Zachmann sur la diaspora chinoise.

D'autres agences travaillent dans cet esprit : Vu (créée en 1986 par Christian Caujolle), Contact Press Images (créée en 1976 par Robert Pledge), Le Bar Floréal (1985), Editing (1988), Metis images (1989), Wostok (1990), Tendance Floue (1991), et l'Œil Public (1996)[1]. Deux nouvelles agences ont vu le jour l'une en 1999, l'autre en 2000 : Paysage(s) et Alter Ego.

1.4 Les agences d'illustration

L'organisation de ces agences est différente de celle des agences de news, tant du point de vue de la production que de la diffusion. Les images peuvent être issues d'un reportage sur un sujet précis ou être réalisées à la demande en studio avec des figurants ou des mannequins. Il s'agit d'offrir de belles images illustratives pour des demandes généralistes portant sur la famille, la vie quotidienne, les enfants, le travail, les portraits, le paysage. La diffusion des images dans le secteur touristique et publicitaire prend le pas sur les secteurs de la presse et de l'édition.

Quelques noms : Giraudon, Image Bank et Stone images rachetées par Getty Images, Hoa-Qui, Explorer, Jacana rachetées par Hafimage, Diaf-SDP, Diaphor la photothèque, Jerrican, Marco Polo, Option photo, Pictor International, Scope, Stock images.

L'agence Rapho, créée en 1933, échappe à cette typologie. Elle diffuse des news, des sujets magazines, de l'illustration générale et les images de quelques grands photographes (Robert Doisneau, Sabine Weiss, Willy Ronis, Édouard Boubat, Jean-Philippe Charbonnier...)[2]. Le groupe Hachette Filipacchi Medias rachète l'agence fin 2000.

1. Mémoire www.multimania.com/titmat/
2. www.rapho.com

1.5 Les agences spécialisées

D'autres structures d'agences d'illustration existent dont voici quelques noms. Elles sont présentes dans des domaines aussi différents que la *religion* (CIRIC) ou la *cuisine* (La photothèque culinaire et Sucré salé) :
– *Animalier* : Jacana, Nature, Phone, natys.net ;
– *Architecture* : Archipress, Urba images ;
– *Histoire de l'art* : Artephot, AKG photothèque, Bulloz (rachetée par l'agence photographique de la Réunion des musées nationaux), Edimedia, Giraudon, (rachetée par Getty/Bridgeman Art Library) ;
– *Mer* : Cedri, Pêcheur d'images, Sea and Sea, photocéans ;
– *Show Biz et cinéma* : Cinéstar, Stills (rachetée par Hafimage), Kipa (racheté par Corbis)
– *Scientifique et médicale* : Cosmos, BSIP, phanie.com ;
– *Sport* : DPPI, Presse Sports (constituée en partie à partir des archives du journal *L'Équipe*), Tempsport (rachetée par Corbis), Allsport (rachetée par Getty), Vandystadt. ;
– *Théâtre* : Bernand, Enguerrand-Iliade ;
– *Vues aériennes* : Altitude, l'agence de Yann Arthus Bertrand diffusée par Hoa Qui.

Toutefois la spécialisation n'est pas une règle absolue. Certaines agences couvrent plusieurs secteurs à la suite d'un rachat ou par un élargissement des domaines comme l'agence photos 12.

1.6 Les entreprises

Les services de communication des entreprises détiennent des reportages portant sur les différents aspects de leurs activités et sur la vie de l'entreprise. Les images sont généralement réalisées pour l'illustration de supports d'information : publications internes, actions de relations publiques, éditions. Certaines entreprises gèrent parfois des volumes importants portant sur des périodes anciennes (Renault, Michelin, Citroën, Totalfina, Rhône-Poulenc, Elf-Aquitaine, etc.). Lors de la mise en place de la photothèque, les fonds épars dans les directions sont rassemblés, organisés et classés.

Ainsi peuvent se côtoyer des images issues de services techniques et de services de presse. La direction de la communication d'Air France diffuse des images récentes sur les activités de la compagnie et la vie des services. Les photographies les plus anciennes sont périodiquement transmises au musée Air France.

1.7 Les journaux et groupes de presse

Les publications qui commandent des reportages à des photographes salariés ou pigistes se constituent de véritables photothèques, parfois même complétées d'images d'agences reçues en abonnement (*Ouest-France, Bayard-Presse, Paris-Match, France-Soir, La Dépêche du Midi, Impact du Médecin, Sud-Ouest*).

1.8 Les musées et bibliothèques

Traditionnellement les musées et les bibliothèques fournissent des reproductions photographiques des œuvres, fac-similé d'ouvrages ou de documents qui sont réalisés soit par l'atelier photographique de l'établissement, soit par un photographe extérieur accrédité. Leurs fonds s'enrichissent progressivement par des dons et des acquisitions (Bibliothèque municipale de Lyon, Bibliothèque nationale de France, Bibliothèque municipale de Nîmes, Bibliothèque municipale de Lisieux)[1].

Ainsi, en 1961, les archives de quatre agences – Rol, Meurisse, Mondial et SAFARA – correspondant à 200 000 plaques de verre pour la période 1904-1945 ont été acquises par la Bibliothèque nationale de France où une sélection est actuellement en cours de numérisation. Cette dernière, chargée du dépôt légal, détient la collection la plus importante au monde, répartie dans plusieurs de ses départements : Estampes et Photographie bien sûr, qui comprend à elle seule 16 millions de documents, mais également Cartes et Plans, Monnaies et Médailles, Musique, Manuscrits, Bibliothèque de l'Opéra sans oublier la banque d'images numérisées mise en service en 1997

1. www.bmlisieux.com ; Alexandre Allain, « Les collections photographiques des bibliothèques municipales », *Bulletin des bibliothèques de France*, t. 46, n° 5, 2001, p. 34-37.

estimée à 200 000 documents. Illustrations d'ouvrages anciens, reportages ethnographiques et pour une grande part, photographies contemporaines acquises auprès d'agences de presse ou de photographes indépendants constituent cette banque d'images accessible *in situ*. Les images, acquises pour la consultation uniquement, ont été rassemblées en « albums ». Une sélection est consultable sur le site gallica de la bibliothèque, pionner de la numérisation en ligne (www.gallica.fr). De nombreux tirages photographiques des membres de l'agence d'actualité Alliance Photo (1934-1940), créée par la Milanaise Maria Eisner, ont été acquis par la Bibliothèque Historique de la Ville de Paris[1].

De plus en plus de musées détiennent des collections d'images, fonds photographiques ou fonds d'images d'œuvres d'art, d'enluminures ou d'estampes, reproduites sur support photographique ou numérique. Les collections se constituent le plus souvent autour d'un thème (musée des Arts et Traditions populaires, musée Electropolis à Mulhouse, musée de l'Homme, musée d'Orsay, musée Nicéphore-Niepce, musée de l'Impression sur étoffes de Mulhouse, musée de la Publicité), autour de l'histoire d'une région (musée des Beaux-Arts de Bordeaux, musée de Bretagne, musée Carnavalet) ou autour d'une collection privée (musée départemental Albert Kahn). La Réunion des musées nationaux fait réaliser les prises de vue des œuvres présentes dans les musées nationaux et se charge de leur diffusion par son agence photographique[2].

1.9 Les administrations, établissements publics, archives, collectivités locales

Ces institutions publiques ont rassemblé sur de longues périodes des fonds photographiques et iconographiques illustrant leur activité et créé ainsi des photothèques organisées et fréquemment informatisées. En voici quelques exemples par grande catégorie :

– Administrations : ministère de l'Agriculture et de la Pêche, ministère de l'Équipement, des Transports et du Logement, CNRS (Centre national de la

1. Catalogue d'exposition : Alliance photo, Paris, BHVP, 1988.
2. www.photo.rmn.fr

recherche scientifique), ECPA (établissement cinématographique et photographique des armées), CNMHS (Caisse nationale des monuments historiques et des sites).
– Établissements publics : RATP, SNCF, médiathèque Gaz de France, médiathèque Électricité de France. Ces deux dernières sont maintenant gérées par des agences de communication, respectivement SDIG-Mc Cann Corporate et BDDP-interactive.
– Archives départementales ou municipales : Archives départementales du Val de Marne, Archives municipales de Thionville. Ces fonds portent sur la ville ou le département, son histoire tant architecturale que sociale ainsi que les moments forts de la vie locale.
– Collectivités locales : les photothèques se développent depuis une vingtaine d'années dans le secteur communication des mairies, des conseils généraux et des conseils régionaux. Les fonds portent sur les différents aspects d'une commune (voirie, aménagement urbain, équipements collectifs, équipements sportifs, activités culturelles, vie politique) : mairie de Lille, mairie de Montpellier, Conseil général des Landes.

1.10 Les photographes indépendants

De nombreux photographes ne déposent pas leurs reportages en agence et préfèrent diffuser directement leur production. C'est le cas de Marc Garanger et également de l'atelier Charmet, le spécialiste de la reproduction de documents anciens, et plus récemment Sebastião Salgado qui a créé sa propre structure, Amazona images presse. Le répertoire Iconos en dénombre 550 dans sa dernière édition[1].

Tous n'ont pas organisé et classé leur fonds qui nécessite encore souvent leur mémoire, faute de temps pour traiter les reportages régulièrement. Il apparaît clairement que ces fonds d'images constitués sont très nombreux et souvent méconnus. Parmi les différents moyens existants pour les identifier, voici trois outils de travail :

1. *Répertoire ICONOS : sources photographiques en France*, 8e édition, Paris, La Documentation Française, 1999.

• *Banque de données ICONOS*
Cette banque de données recense 1 340 collections de photographies consultables en France – photographes, agences, photothèques du secteur public et privé. Elle est accessible *via* le 3615 PHOTODOC. Une actualisation de l'édition papier est réalisée tous les cinq ans environ. La Documentation Française prépare actuellement son transfert sur internet[1].

• *La photographie artistique : Répertoire des collections : musées de France, Bibliothèque nationale de France, Fonds national et régionaux d'art contemporain, centres d'arts (Paris : RMN, 1998)*
Cet ouvrage, premier du genre recense les musées, FRAC (fonds régionaux d'art contemporain), et centres d'art en France qui conservent des collections photographiques couvrant l'histoire de la photographie des origines à nos jours. Mais seuls les fonds réellement accessibles sont décrits. Il a été réalisé à l'occasion de l'opération « L'invitation au musée, 8 au 22 novembre 1998 ».

• *Encyclopédie internationale des photographes des débuts à nos jours ([cédérom]/Michel et Michèle Auer, Neuchâtel, Éditions Ides & Calendes, 1997)*
Initialement éditée en 1985 puis constituée en banque de données avec le soutien de la Maison européenne de la photographie, cette encyclopédie est enfin éditée en 1997 sous forme de cédérom. Elle recense 5 500 auteurs. Une fiche biographique et bibliographique est réalisée par photographe, complétée de son adresse ou de son site de distribution. Un projet d'accès en ligne est à l'étude[2].

2. « EDITING » ET GESTION D'IMAGES

Face à un accroissement des reportages et à une réutilisation d'images de plus en plus fréquente, voire même aux opportunités de revente, la personne ou le service qui a la charge du fonds d'images sont amenés à opter pour la mise en place progressive d'une méthode de travail. Les images doivent être

1. www.ladocfrancaise.gouv.fr
2. www encyphoto.com

traitées de leur identification à leur classement. L'ensemble des opérations nécessaires, représenté sur le schéma ci-dessous, est explicité tout le long de cet ouvrage.

1 Entrée des documents . Collecte - production interne - diffusion de photographes . Acquisition - achats - commande de reportages . Identification . Sélection	2 Traitement matériel Gestion physique - numérotation - légendage - inventaire - étiquetage - numérisation ➔ *Gestion informatisée des entrées*	3 Mise en 1re diffusion [agence photographique ou journal] avant traitement intellectuel (*à ce stade un traitement signalétique est effectué*)
4 Traitement intellectuel . catalogage . analyse . indexation et langage - principe d'indexation - langage documentaire ➔ *Base de données documentaire*	5 Équipement Mode d'accès Conservation (règles) ➔ *Banque d'images fixes numérisées*	6 Droit d'auteur (cadre juridique) Communication - modes (prêt, location, cession) - outils (bordereau, justificatif) - tarifs ➔ *Gestion informatisée des sorties* ➔ *Gestion des droits d'auteur*
7 Valorisation - variété des produits - actions de communication - site .net ➔ *Cédéroms produits à partir de la banque d'images*		

La gestion des entrées est la première étape de traitement d'un fonds d'images. L'enrichissement est de trois types, soit par la collecte d'une production existante, soit par l'acquisition d'images à la pièce ou encore par la commande de reportages à un photographe.

2.1 Collecte ou acquisition

2.1.1 Production propre à l'organisme

Le rassemblement des fonds existants est souvent le premier signe d'une volonté d'organisation et de gestion. Dans les entreprises comme dans les administrations, il n'est pas rare que plusieurs collections coexistent avec leur légitimité historique, le fonds du secteur publicitaire d'une part, celui du secteur presse de l'autre, ou encore, ceux des directions techniques. La création d'une structure centrale s'accompagne d'un inventaire systématique des collections concernées (origine, datation, sujet traité, nature et volume des images, situation juridique, usage) pour en permettre ensuite une véritable identification. La bibliothèque du Muséum d'histoire naturelle, par exemple, possède les épreuves produites par Philippe Potteau (1807-1876), préparateur en laboratoire puis photographe de l'établissement. Les images réalisées représentent aussi bien les collections du Muséum que des expériences en laboratoire. Il en est de même pour le ministère chargé de l'Équipement et de l'Urbanisme dont les photographes sont salariés.

2.1.2 Diffusion d'images par les agences photographiques

L'objectif des agences est d'optimiser la diffusion des images qu'elles ont en dépôt. Leur structure est avant tout commerciale. Un contrat lie l'agence et le photographe avec laquelle il a négocié une répartition sur les ventes. Ainsi le photojournaliste Paul Almasy a mis son fonds en diffusion auprès de l'agence AKG (Archiv für Kunst und Geschichte) depuis plusieurs années[1]. Les reportages réalisés résultent d'un choix de sujet venant du photographe, d'une publication cliente ou d'une décision de l'équipe de rédaction de l'agence qui identifie le sujet « porteur », d'actualité ou d'illustration.

2.1.3 Dons ou Dépôts

Ce type d'initiative relève de collectionneurs, des auteurs eux-mêmes ou des ayants droit. En 1982, le ministère de la Culture crée une structure chargée

1. www.akg.de

de diffuser les images issues des donations, l'association Patrimoine photographique[1]. Un contrat régit les relations entre les auteurs et l'association prenant en compte les conditions formulées lors de la donation. Citons parmi les photographes quelques grands noms : André Kertesz, Denise Colomb, Thérèse Le Prat, Daniel Boudinet et plus récemment Sam Lévin. Les archives de Jacques Henri Lartigue sont traitées et exploitées par l'association des amis de Jacques-Henri Lartigue[2]. Plus fréquemment, les dons ou les dépôts s'effectuent auprès des bibliothèques ou des musées. La famille de Toulouse-Lautrec a fait don de nombreux dessins, pastels, gravures et lithographies à la Bibliothèque nationale de France. La Bibliothèque historique de la Ville de Paris enrichit ses collections de dépôts réguliers provenant des services municipaux de la ville.

Le musée des Beaux-Arts de Bordeaux a reçu en don en 1987 le fonds photographique de la maison Goupil-Manzin-Joyant et Cie, éditeurs-imprimeurs d'estampes à Paris, actifs de 1827 à 1920. Le musée Goupil de Bordeaux créé en 1991 conserve l'intégralité de la collection (www.culture.fr/GOUPIL/FILES/).

Le Centre de documentation juive contemporaine encourage les « dons de documents » sur son site internet[3]. Lors des dépôts, un bordereau-dépôt est renseigné avec le déposant signalant les conditions d'utilisation.

2.1.4 Achats

Des politiques d'acquisition se développent au sein des organismes publics, musées et bibliothèques avec le souci de constituer une collection significative sur un thème, une personne (musée Matisse, musée Picasso) ou une période. Ainsi, sur l'histoire de la photographie, le musée d'Orsay couvre la période 1835-1918, la Maison Européenne de la Photographie celle de 1955 à nos jours ; la Bibliothèque nationale de France, quant à elle, en couvre les mouvements importants. Les achats se réalisent par l'intermédiaire des galeries, des ventes, des enchères et des salons. Le Salon international de la photographie dont la cinquième édition s'est tenue à Paris au Carrousel du

1. www.patrimoine-photo.org
2. www.lartigue.org
3. www.memorial-cdjc.org

Louvre en novembre 2001[1] est devenu un salon de référence. La galerie Agathe Gaillard, première galerie parisienne dédiée exclusivement à la photographie, diffuse l'œuvre des photographes depuis sa création en 1975. De façon générale, les experts et marchands sont identifiés dans les revues spécialisées et se créent des sites internet[2]. Le groupe Serveur, fondateur de artprice.com, s'associe en 2000 avec l'agence de presse Editing basée à Lyon.

2.1.5 Reportage photographique

La commande de reportage photographique est la méthode la plus fréquente d'enrichissement des fonds. Plusieurs raisons y conduisent :
– le sujet n'a jamais été traité,
– le demandeur, service technique interne, publication ou service de relations publiques, souhaite un traitement du sujet sous un autre angle, avec un renouvellement du « regard ».

L'inventaire général de la France planifie régulièrement des campagnes photographiques au niveau local qui portent aussi bien sur le calvaire breton que sur le vestige industriel lorrain.

Selon la politique générale de l'entreprise et ses moyens, les reportages sont réalisés par des photographes indépendants ou salariés.

Voici les éléments à définir dans le cadre d'une passation de commande :

Contrat type

1. *Nom et adresse du commanditaire et personne responsabl*e
2. *Nom et adresse du photographe* (renseignements concernant son statut)
3. *Définition du reportage* :
- Thème avec l'angle à traiter
- Précisions techniques : noir et blanc ou couleur ; format ; type de support

1. www.parisphoto-online.com ; « Malgré l'absence des stars, la foule est au rendez-vous de Paris Photo », Michel Guerrin, *Le Monde,* 17 novembre 2001 ; « Le salon Paris Photo surfe sur la vivacité d'un marché au plus haut », Michel Guerrin, *Le Monde,* 17 novembre 2000.
2. www.od-arts.com, www.collecties.com, www.photo.connexion.com , www.nart.com, www.artprice.com, www.christies.m,www.sothebys.com, artaujourd'hui.com, etc.

➤➤➤

- Date, lieu, nombre de jours de prises de vue
- Ordre de grandeur du nombre de photos à réaliser

4. *Réalisation du reportage* :
- le photographe fournit le matériel photographique
- le commanditaire prend en charge les frais techniques
- le commanditaire prend en charge les frais de mission (hôtel, transports…)
- le commanditaire se charge des demandes d'accréditation (formulaires d'autorisation de reproduction et de représentation par la personne photographiée)

5. *Remise des prises de vue et sélection des photographies* :
- le délai de livraison des photographies est fixé au contrat
- les photographies remises doivent être légendées
- la sélection définitive se fait en commun entre le photographe et le commanditaire.
- le photographe doit remettre les autorisations de photographier par la personne photographiée en même temps que les clichés.

6. *Propriété et dépôt des films originaux*

7. *Cession des droits d'auteur*
- La cession porte sur les photographies sélectionnées par le commanditaire.
- Elle porte sur les droits de reproduction et de représentation qui feront l'objet de mentions distinctes.

8. *Droits et obligations des parties :*
- Le commanditaire s'engage à respecter la mention du nom de l'auteur et à ne pas dénaturer l'œuvre
(cf. CPI de 1992)
- Le photographe s'engage, s'il y a lieu, à obtenir l'autorisation écrite des personnes photographiées

9. *Rémunération*
- Montant des honoraires ou du salaire pour la conception et la réalisation du reportage.
- Montant des droits d'auteur, d'exclusivité et modalités de paiement (cette rémunération peut être calculée sur une base forfaitaire).
- Frais techniques et frais de mission.

10. *Conservation*
- Le dépositaire des films ou cédéroms originaux s'engage à conserver les films ou cédéroms selon les normes en vigueur.

11. *Résiliation*

12. *Date et signature des deux parties*

Les reportages de publicité relèvent de contrats précis. Les règles d'exploitation sont différentes car liées à une campagne publicitaire. Le code de la propriété intellectuelle les précise dans les articles L 132-31 à 132-33. Les images réalisées par Jean-Loup Sieff (1934-2000) pour Renault ou Givenchy ne sont donc pas gérées en photothèque traditionnelle de communication.

Les organismes professionnels renseignent et proposent des modèles de contrat aux photographes. Citons l'UPC (Union des Photographes Créateurs), SESAM, la SAIF (Société des Auteurs des Arts Visuels et de l'Image Fixe), la SCAM (Société Civile des Auteurs Multimédia)[1], la revue électronique www.photographie.com.

Lors du festival du photojournalisme à Perpignan « Visa pour l'image » en septembre 2000, le collectif Freelens France s'est créé afin de s'opposer aux groupes de presse et d'édition qui proposent aux photographes des contrats fortement réducteurs[2].

2.2 Identification

Dès la planification d'un reportage, produire une fiche d'identification simplifie le traitement à venir.

Sa présentation peut revêtir des formes multiples : fichier bureautique, autocollant, enveloppe préimprimée utilisée lors des déplacements du laboratoire photographique à la rédaction et à la photothèque. Elle comprend deux parties : une partie générale sur la commande et une partie à remplir par les photographes pendant les prises de vue.

Partie générale

Commanditaire (direction, service) N° (utile pendant le circuit de vie du reportage) Nom du photographe © (si le photographe est extérieur à l'entreprise) Droits acquis (préciser la nature) support/format	
Sujet (étude,...) Titre du reportage Lieu Date de prises de vue (AAAA, MM, JJ)	heure (pour les sujets d'actualité)

1. www.upc.fr, www.sesam.org, www.scam.fr,//saif.free.fr/
2. http://freelens.france.free.fr/

Partie spécifique

Bobine film	Photos n°	Sujet (précis)	Observations
			Peuvent y figurer des informations techniques : superposition, radiographie…

L'identification par film peut se compléter d'une identification par séquence d'images.

2.3 Sélection

La première sélection est bien sûr celle du photographe. Citons Henri Cartier-Bresson, dans la préface « l'instant décisif » à son ouvrage *Images à la sauvette* publié en 1952, texte non paginé :

> «… Pour nous : il y a deux sélections qui se font, donc deux regrets possibles : l'un lorsqu'on est confronté dans le viseur avec la réalité, l'autre une fois les images développées et fixées, lorsqu'on est obligé de se séparer de celles qui, bien que justes, seraient moins fortes… »

Sur quels critères la photothèque va-t-elle ensuite sélectionner les images ? sur la qualité technique et informative bien sûr, mais également sur un critère plus esthétique, le « regard », l'originalité du photographe, et ce, dans un contexte de parfaite connaissance des droits des auteurs. Citons volontiers les cinq éléments de la vision photographique énoncés par John Szarkowski « le sujet, le détail fragmenté, le cadre, le temps et l'angle »[1].

2.3.1 Qualité technique

Les images mal cadrées, sous-exposées, surexposées avec flou, effet de voile, absence de netteté dans le rendu des détails sont éliminées. Toutefois, les exceptions liées à l'événementiel ne sont pas exclues. Deux exemples connus où l'information prime sur la qualité : Jackie Onassis, prise en photographie par un paparazzi, nue dans sa villa en Grèce vers 1965 ; le débar-

1. In : William Leary, *Le tri des photographies, étude du RAMP et principes directeurs*, Paris, UNESCO, 1985 ; sujet très développé dans : *La gestion des archives photographiques*, sous la dir. de Normand Charbonneau et Mario Robert, Presses universitaires du Québec, 2001.

quement des troupes à Omaha Beach en Normandie en juin 1944 couvert par Robert Capa[1].

2.3.2 Qualité informative

Elle peut porter sur le caractère d'actualité du reportage, sur l'importance de l'événement particulièrement pour un sujet historique comme le reportage réalisé par Sebastiao Salgado le 30 mars 1981, lors de la tentative d'assassinat de Ronald Reagan[2]. Elle peut également porter sur une dimension plus sociologique ou symbolique. Gisèle Freund écrit dans son livre *Photographie et Société*, à propos des premiers photojournalistes : « ce ne sera plus la netteté d'une image qui lui donnera de la valeur mais son sujet et l'émotion qu'elle suscitera ». Le choix sur planche contact ou sur table lumineuse est réalisé par le photographe lui-même, le directeur de l'agence photographique, le rédacteur chargé de l'éditing dans un journal ou encore par le commanditaire dans une entreprise[3].

Dans les agences photographiques, les images non sélectionnées pour la diffusion immédiate, appelées « non choix », subissent une dernière sélection afin de permettre une mise en diffusion dans les archives de la photothèque. La planche contact est considérée comme un outil de travail à partir de laquelle les choix s'opèrent[4].

Voici la planche-contact du reportage réalisé par Guy Le Querrec, le 19 décembre 1990 sur « le pélerinage des 400 cavaliers sioux dans les montagnes neigeuses du Dakota sur les traces du chef Big Foot assassiné par les Américains en 1890 » :

1. In : John G. Morris, *Des hommes d'images*, Paris, Éditions de La Martinière, 1999, pp. 15-19.
2. Michel Guerrin, *Profession photoreporter*, Paris, Gallimard, 1988, p. 88.
3. Yann Morvan, *Le photojournalisme*, CFPJ, 2000 ; Gabriel Bauret, *Approches de la photographie*, Paris, Nathan Université, 1985.
4. *Cahiers de la photographie*, Marmande, ACCP, 1983, n° 10.

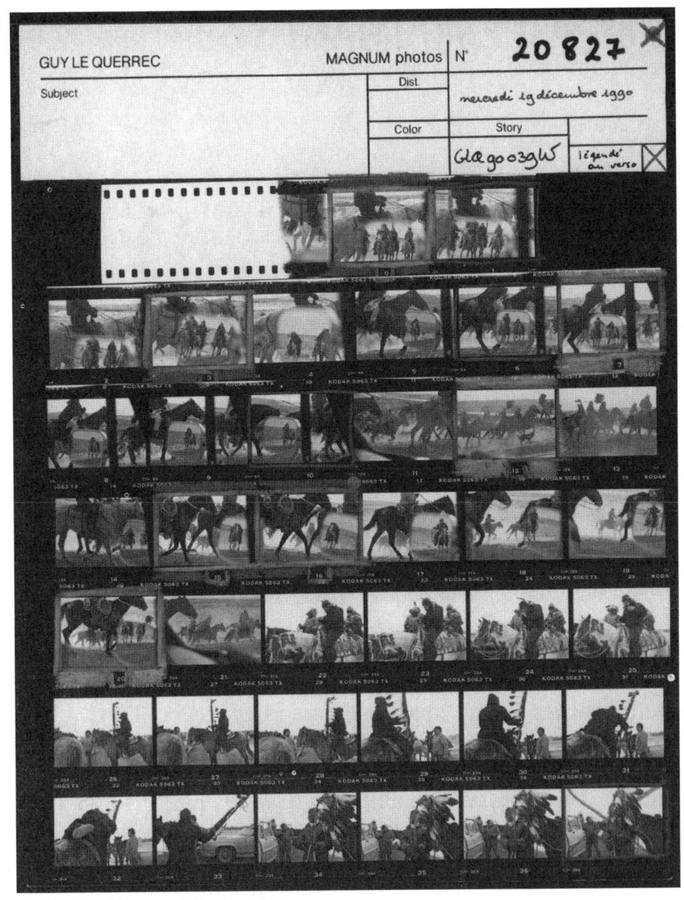

© Guy Le Guerrec. Magnum photos.

Avant même de traiter les documents, les gestionnaires doivent réfléchir au mode d'organisation qu'ils souhaitent mettre en place : externalisation de la photothèque, informatisation et mise en place d'une chaîne de traitement « tout numérique », intégration dans un pôle multimédia ou accès direct en interne ?

3

LES BANQUES D'IMAGES

L'analyse du circuit du document-image, de son entrée à sa mise en diffusion, permet de dégager les grands principes d'une organisation souhaitable. Si la constitution d'une banque d'images est affirmée dans les objectifs, l'étude de l'existant et des besoins complétée de l'examen des logiciels s'avère nécessaire avant toute décision. Afin de disposer d'un cadre de travail, la rédaction d'un cahier des charges exposant les fonctionnalités attendues du système recherché est obligatoire et contractuelle.

1. MODE D'ORGANISATION

Créer *ex nihilo* son fonds d'images, gérer ou réorganiser un fonds existant soulève une multitude de questions nécessitant une étude plus générale et une bonne connaissance de l'environnement. Il doit en découler un principe d'organisation intégrant, en option, l'informatisation de la photothèque :
– externalisation de la photothèque (BDDP interactive, Janjac et de plus en plus des éditeurs de logiciels),
– sous-traitance partielle de prestations (gestion des originaux, travaux photographiques, numérisation…) (Renault, Citroën),
– centralisation des photothèques de l'entreprise (SNCF, EDF),
– décentralisation des photothèques avec méthode documentaire commune,
– constitution d'une banque d'images,
– intégration dans un système multimédia (Gaz de France),
– gestion traditionnelle par l'élaboration d'un plan de classement et d'une cotation permettant l'accès direct aux documents pour une petite structure photographique. Dans un premier temps, la création d'un registre d'inventaire et la production d'étiquettes sont paramétrées sur un logiciel de bureautique compatible sur des plates-formes Windows ou Macintosh.

L'observation et le descriptif détaillé des tâches inhérentes à toute gestion d'un fonds d'images permettent de rationaliser les circuits de traitement et de définir les tâches et les fonctions de chacun.

Un projet d'informatisation est parfois l'occasion de modifier l'organisation en cours.

Pourquoi une banque d'images ?

Plusieurs raisons concourent à un tel projet :
– automatiser les tâches répétitives de gestion,
– optimiser la recherche documentaire dans le fonds d'images,
– faire connaître et valoriser les fonds existants par la réalisation de produits,
– réduire le délai de communication dû à la duplication des images et à la transmission traditionnelle,
– diminuer les travaux de duplications et donc le coût de gestion des exemplaires,
– intégrer la banque d'images dans un projet multimédia plus large.

L'informatisation peut être modulaire : aspect documentaire et image, aspect gestion, voire intégration en intranet.

Étapes de l'informatisation

Première phase : préparation
1. Étude préalable : audit de l'existant et étude des besoins
2. Étude des logiciels
3. Budgétisation
4. Décision (informatisation partielle ou totale)

Deuxième phase : mise en œuvre
1. Cahier des charges
2. Consultation des éditeurs de progiciels : dépouillement et choix du prestataire
3. Réalisation : installation, paramétrage de l'application, test de la maquette, réalisation finale, rédaction de guide de saisie et d'indexation
4. Formation des différents utilisateurs

Un groupe de projet se constitue avec les représentants des utilisateurs, des documentalistes et le service informatique. Il fait appel, le cas échéant, à un consultant spécialiste en gestion de système documentaire et audiovisuel[1].

1. Sur le site de l'ADBS, un répertoire des consultants est proposé www.adbs.fr

2. ÉTUDE PRÉALABLE

Le projet se situe nécessairement dans le contexte de l'entreprise : politique de la direction générale ; estimation des moyens informatiques, financiers, humains et techniques. L'étude préalable porte sur l'analyse de l'existant et sur la définition des besoins.

2.1 Analyse de l'existant

Cinq aspects sont évalués : le fonds d'images, la demande, la gestion et la circulation des documents, les outils documentaires et la situation du service chargé du fonds d'images.

Les quantifications se font en chiffres, pourcentages et ratios.

• *Le fonds d'images*

Les informations à collecter sont :
– nature des images (formats et supports qu'ils soient argentines ou numériques),
– volume des images (par type de document : dessin, carte, photographie),
– montée en charge (augmentation estimée par année),
– durée de vie des images (selon contrat ou selon sujet institutionnel).

• *La demande d'images*

Elle s'étudie sous deux angles :
– les utilisateurs internes et externes : leur répartition géographique et sectorielle (volume, fréquence de consultation),
– les utilisations selon leur nature et leur aboutissement (dossiers de presse, catalogues d'expositions, rapport d'activité, annonces, mailings, etc.). Dans les agences photographiques, les grands secteurs d'utilisation sont la presse, l'édition et la publicité pour lesquels la tarification est distincte.

La demande s'étudie à partir des factures, des bordereaux de sortie et du cahier des demandes mais également à partir d'interviews auprès de clients sélectionnés.

• *La gestion et la circulation des images*

Les schémas de circulation (entrée et sortie des documents) sont à décrire et à décomposer avec précision. Plusieurs circuits coexistent : traitement en laboratoire, entrée en stock, description, diffusion multiple (abonnés, individuel) selon le support de diffusion (numérique ou argentique) :
– un état du volume réellement traité est à réaliser avec le descriptif du mode de référencement existant,
– la gestion des mouvements et les volumes concernés sont à décrire : prêts, ventes, recherches,
– une définition des tâches et l'étude de leur périodicité facilitent l'audit.

• *Les outils documentaires*

L'inventaire des outils documentaires porte sur leur degré d'élaboration et leur manque :
– cahier d'enregistrement,
– plan de classement ou lexique (volume des termes),
– mode de classement,
– fichiers, catalogues, bulletins produits par le service.

• *Le service*

La description du service précise les conditions actuelles (personnel, équipement technique et informatique, budget annuel). Le mode d'organisation et ses éventuels dysfonctionnements doivent être clairement étudiés dans l'analyse.

2.2 Étude des besoins

À partir de l'audit réalisé, l'étude des besoins dégage les critères d'informatisation des différentes tâches en rappelant les missions affichées du service :
– collecter et traiter les reportages,
– gérer physiquement les supports ou consulter rapidement les images sans manipulation d'originaux,
– répondre rapidement aux demandes,
– optimiser le fonds d'images,
– suivre les mouvements des images.

Au terme de l'étude préalable, le groupe de projet est en mesure de proposer des solutions (réorganisation, informatisation totale ou partielle : automatisation des prêts, création d'une banque d'images).

Le choix d'un logiciel s'effectue une fois le cahier des charges rédigé avec la description précise du système. Toutefois, un examen des logiciels disponibles sur le marché est à réaliser à partir de visites d'agences photographiques ou de photothèques informatisées ainsi que de présentations de logiciels par les concepteurs eux-mêmes (salon IDT, salon de la Geide) afin d'établir la faisabilité du projet et d'en estimer le budget[1].

Le projet doit être chiffré dans sa globalité en prenant en compte différents coûts (proposer plusieurs scénarios le cas échéant) :
– réalisation du cahier des charges,
– consultation et choix des fournisseurs de matériels et de logiciels (cette prestation peut être réalisée par le service informatique),
– équipement,
– mise en place de l'application (ingénierie documentaire),
– numérisation,
– formation.

3. Le cahier des charges

Ce document, préparatoire à l'appel d'offres, est rédigé en interne ou soustraité à un consultant. Il reprend les résultats de l'étude préalable et décrit de façon précise le futur système documentaire (base de données ou banque d'images) élaboré par le groupe projet en précisant le nombre d'utilisateurs prévus, la configuration du matériel souhaité. Il n'y a pas de cahier des charges type. La SDIG-Scan Corporate a adressé aux sociétés présélectionnées un cahier des charges et un questionnaire rassemblant les différents points attendus du système d'information.

Les méthodes de traitement documentaire, de gestion des images et de gestion des mouvements, extérieurs au cahier des charges, ont, bien sûr, été définies préalablement (cf. chapitres sur le traitement matériel, le traitement intellectuel et la communication des images).

1. Consulter le site www.cxp.fr

Les six éléments qui constituent le cahier des charges

Service : objectifs et définition
Description du fonds documentaire : volume, typologie des utilisateurs et des demandes, description du système documentaire actuel (dans le cas d'un système préexistant)
Fonctions attendues du système : documentaires, images, mouvements
Configuration du matériel (mémoires, interface, réseau)
Conditions de fourniture (coût, délai, installation, tests, assistance, formation)
Service après-vente

4. LES PROGICIELS EXISTANTS

L'évolution technique est sensible depuis une quinzaine d'années. La puissance des matériels et des logiciels doublée d'une baisse de coûts permet à une photothèque de moyenne importance d'envisager son informatisation et d'intégrer la gestion des images numérisées. Parallèlement, le développement du web et des applications Intranet et Extranet s'impose dans les secteurs de la presse et plus largement de la communication, favorisant ainsi la création de banques d'images.

Les solutions offertes ont elles aussi évolué, du logiciel documentaire relié à un imageur par un programme d'adaptation à l'imageur web intégrable à tous types d'applications. Deux types de solutions émergent actuellement sur le marché : les progiciels documentaires ou les SGBD[1] qui ne gèrent que la base de données à laquelle est relié un imageur d'images et les progiciels intégrés traitant « les notices documentaires et les images ». Les éditeurs de logiciels sont amenés à développer des modules de gestion intégrés pour répondre à une nouvelle demande : la commande « en ligne » souhaitée par les utilisateurs, qu'ils soient gestionnaires de fonds d'images ou clients.

• *Les fonctionnalités documentaires*

Création, structuration, paramétrage et administration de la base.
Saisie des données, mises à jour, modifications.
Indexation des données, modifications.
Importation des données (migration, reprise de fonds).
Gestion de thesaurus.

1. SGBD : système de gestion de bases de données.

Multilinguisme.
Recherche (booléenne, texte intégral, multibases).
Paramétrage de la visualisation, des impressions et des exports.
Gestion des statistiques, de la confidentialité.
Paramétrage des droits d'accès par « profil ».

• *Les fonctionnalités de gestion des images*
Acquisition : numérisation, compression, importation d'images : formats convertis.
Dialogue logiciel documentaire et imageur : gestion des liens.
Consultation des images à partir des notices documentaires.
Gestion de l'affichage, images et textes.
Éditions.
Exportation : modalités vers les supports (PAO, cédéroms,...).
Ergonomie : paramétrage de l'affichage, de l'édition et des exports.

• *Les fonctionnalités web*
Paramétrages pour l'interrogation et la recherche.
Interrogation : relevé des recherches.
Consultation : notices, affichage tableau, mosaïque, chutier.
Déchargement et commande en ligne.

• *Les fonctionnalités de gestion des sorties*
Gestion de fichier clients.
Gestion des mouvements (sorties, retours, relances).
Gestion des ventes (commande, affichage, calcul des coûts de frais techniques/droits d'auteur, facturation).
Gestion des exemplaires : stock et travaux.
Statistiques (déchargement, commande).

Tous les logiciels présentés dans le tableau ci-dessous offrent la gestion multimédia (image fixe depuis plusieurs années et maintenant vidéo et son) ainsi que le module gravure de cédérom avec viewer. Leur module web, en fonction consultation, évolue progressivement vers une fonction de saisie en sécurisation (société Web Valley). La logique commerciale est différente d'un produit à l'autre. Par exemple, la société Orkis propose en standard dans son logiciel Ajaris-pro le suivi des mouvements et en module spécifique la gestion complète des droits ; en revanche un module spécifique rassemblant suivi des mouvements, gestion des exemplaires et facturation est l'option prise par la société Web Valley.

Tableau présentant certains des logiciels existant sur le marché

Société	Logiciel	Environnement	Indexation	Gestion : Mouvements Commande Droits d'auteur	Applications	Prestation spécifique
Armadillo armadillo.fr	Atlasphoto Armadillo-photo (intégré)	Windows NT Client/serveur Propriétaire	Mots clés Texte intégral	Mouvements Commande Droits d'auteur (spécifique)	RATP, Vivendi Universal Éducation	Hébergement Externalisation
B & B parenthèses phrasea.fr	Phraseasuite (intégré) Phraseanet pour hébergement	Mac Os Windows NT Client/serveur propriétaire	Mots clés Texte intégral	Gestion des fils d'agence en format IPTC watermarking	Mémoire de la Drôme, Reuters, France 2	Hébergement Externalisation
Dfi dfi-fr.com	Dfi-doc Dfi-web 2 (intégré)	Windows NT unix Client/serveur Développé sous SGBD Oracle	Mots clés Texte intégral	Prêts (module) Commande (module) Gestion des fils d'agence en format IPTC (module)	Journal *Équipe*, Agence photo CIRIC, Arc international	Numérisation Hébergement
Dip systèmes dip-systemes.fr	Dipphotothèque (gestion documentaire)	Windows NT Unix Client/serveur Développé autour du moteur BRS, Imageur VTCOM	Mots clés Texte intégral (Moteur search-server) Gestion thésaurus		Citroën, Dauphin affichage	
GB concept gbconcept.fr	Alexandrie (gestion documentaire) format MARC	Mac Windows NT Client/serveur Développé sous SGBD 4 D Imageur Scout de R2C4	Mots clés Texte intégral avec SEARCH'97 de Verity (module) Gestion thésaurus	Gestion des exemplaires (module) interface code à barre (module)	Agence de l'eau Rhin Meuse, Centre de documentation juive contemporaine	

Société	Logiciel	Environnement	Indexation	Gestion : Mouvements Commande Droits d'auteur	Applications	Prestation spécifique
Gesco gesco.fr	Gesco media Gesco web (Serveur multimédia intégrable à tous types d'applications)	Windows NT Unix Client/serveur propriétaire	Non, intégration avec un logiciel documentaire	commande	Avec logiciel Ex-libris : sdig pour Gaz de France, CNMHS ; Avec logiciel doris-loris : CGT ; Avec logiciel Taurus + : Archives départementales des Vosges	Numérisation Hébergement Indexation Externalisation
Jlb informatique jlbinfo.com	Jlb-doc Jlb- cd Jlb-web	Windows NT unix Client/serveur propriétaire imageur rudimentaire	Mots clés Texte intégral Gestion de thésaurus			
Orkis orkis.com	Ajaris-pro Ajaris-web (intégré)	Mac OS Windows NT Client/serveur Développé sous SGBD 4 D	Mots clés Gestion de thésaurus	Mouvements Commande Gestion droits : facturat°, piges (module GIP), Watermarking à la volée	UCPA, IAURIF, Agences photononstop. com, iconos.fr, hoa qui, scope, rapho, stills	Numérisation Hébergement Indexation Externalisation
Web Valley westvalley.fr	west photo web valley (intégré)	Mac OS Windows NT Client/serveur Développé sous SGBD Oracle	Mots clés Texte intégral Gestion de thésaurus	Prêts avec code barre (module)	Yves Rocher, CNRS, Lafarge, Air France Mutualité agricole, Renault-communication	Numérisation Hébergement Indexation Externalisation

L'hébergement est un service Internet qui permet de constituer, d'administrer et de diffuser des bases de données multimédia en garantissant la sécurité totale des données. Il est appelé ASP (Application Service Provider).

Une fois le fournisseur choisi, un calendrier est établi contractuellement lors de la passation de la commande.

5. Format de description

Chaque fonds d'images élabore un format de description qui lui est propre prenant en compte leur spécificité : bibliothèque avec la nécessité du format d'échange MARC, presse avec l'intégration du format de transmission IPTC, musée ou documentation.

Le paramétrage de la base de données nécessite une définition de chaque rubrique en fonction du type de données (numérique, alphanumérique, date) et de son caractère obligatoire ou facultatif. Il comprend aussi des indications sur l'indexation de chaque rubrique, les liens existants avec d'autres bases de données ou avec des langages documentaires (listes d'autorité, vocabulaires spécifiques).

Un manuel d'indexation doit toujours lui être associé décrivant de façon explicite pour chaque rubrique de l'application les règles d'écriture, les conditions d'utilisation et le détail des listes associées.

Le modèle IPTC/NAA

L'International Press Telecommunication Committee, qui défend les intérêts de la presse, réunit des groupes de travail depuis plusieurs années sur des sujets les préoccupant : les standards, la numérisation des photos de presse, les réseaux. En collaboration avec l'association des éditeurs de presse américains (Newspaper Association of America NAA), le comité établit un modèle IPTC/NAA[1] Information Interchange Model (IIM) en 1992. La structure est adaptée aux besoins d'échange de tous types de données dans la presse et les médias. Le modèle comprend un format pour les données et un protocole de transmission. Il est structuré en une centaine de champs balisés (Datasets) dont certains sont obligatoires. L'image est ainsi transmise avec les informations la concernant : données techniques photographiques, données juridiques, données documentaires.

Adobe Photoshop, depuis sa version 5, gère la norme IPTC, ce qui permet aux photographes d'identifier les textes et les images avant de les transmettre au « desk ». Les champs balisés dans le modèle sont regroupés en 6 blocs.

1. www.iptc.org

Certains éditeurs de logiciels l'intègrent dans leurs produits : B & B pour Phrasea, Orkis pour Ajaris-pro, DFI pour Dfi-agence. Les banques d'images réceptionnent et enregistrent automatiquement les images. Lors de l'intégration en archive, les données peuvent être corrigées. L'AFP, tout comme Reuters, intègre et complète les notices reçues en format IPTC. Avec ce modèle, les données indispensables sont systématiquement associées à l'image. L'indexation des images est ensuite réalisée dans chaque institution de façon autonome.

Les évolutions en matière d'informatique et de télécommunication sont déterminantes et doivent toujours s'accompagner d'une méthode de traitement des documents, portant sur l'identification signalétique autant que sur l'analyse de contenu.

TRAITEMENT MATÉRIEL

La mise en collection est la deuxième étape de traitement d'un fonds d'images. Elle recouvre l'ensemble des tâches effectuées lors de l'intégration des images, tâches réalisées manuellement ou directement sur le système de gestion informatisée. Elle s'accompagne d'une manipulation des documents dans le respect des règles de conservation et de conditionnement.

1. GESTION PHYSIQUE DES DOCUMENTS

L'intégration des documents porte sur les travaux de numérotation et de légendage préliminaires à la saisie des éléments d'information en inventaire. Avant leur classement, les images sont étiquetées et le cas échéant, restaurées et numérisées.

1.1 La numérotation

Chaque reportage ou ensemble d'images reçoit un numéro d'inventaire. Ce numéro est complété d'un numéro propre à l'image. Ce numéro ainsi constitué l'identifie et lui confère son caractère d'unicité. La numérotation revêt différentes formes d'une photothèque à l'autre et peut contenir des informations codées alphanumériques ou numériques. Le principe de la numérotation est généralement lié à la logique de rangement qui peut être par lieu de stockage, par catégorie, par collection, par format ou tout simplement chronologique.

Voici quelques exemples d'applications :

Exemple 1 : 2001 – 009 - 02
année en cours + n° chrono de reportage dans l'année + n° de la vue dans le reportage

Pour une prise de vue numérique, numéroter le fichier avec le numéro d'inventaire suivi de l'extension, par exemple : 2001-009-02.jpeg

Exemple 2 : 2001 – B – 009 - 02
année en cours + code support + n° chrono de reportage + n° de la vue dans le reportage

L'information codée est parfois très développée.

Elle peut porter sur un code support/format ou sur un code thématique correspondant à un classement physique dans la photothèque.

Dans le dernier cas, la codification renvoie à un plan de classement. Cette pratique est significative pour des photothèques en gestion manuelle ou des fonds d'images d'une institution détenant plusieurs médias.
Code support :
A = 24 × 36 diapositive
B = 24 × 36 négatif noir et blanc
C = 24 × 36 négatif couleur
Code thématique :
12 – Humain—enfant
13 – Humain—adulte

Exemple 3 : I – 2001 – 009 – DZ – 05 – 13-1
Catégorie + année + n° reportage + code pays + n° vue + code classement

Catégorie d'images : I pour illustration, P pour people, S pour story.
Code pays : pays codé selon la norme internationale iso 3166, ici dz = Algérie
Code de plan de classement propre à la photothèque, ici 13.1 = femme
Des fonds d'images optent pour une numérotation par auteur ou par planche d'images.

Exemple 4 : RQL – 1168 – ZZ – N – RO – 15
code photographe + n° inventaire + format de l'ori + support + état du support + infos

Code photographe : les 3 premières consonnes du nom du photographe.
N° inventaire : chronologique par photographe.
Format de l'original : ZZ (24 × 36 en bande), B (30 × 40), F (24 × 30), W (vue stéréoscopique),…
Code couleur : N pour négatif, C pour couleur

Numéro correspondant à une information supplémentaire : pour une image numérisée, le numéro suivi de l'extension jpeg est associé au numéro d'inventaire de l'original.

Exemple 5 : E – 516 – 02
code support + n° planche + n° de vue
ici E = Ekta

À la photothèque de la RATP ou à l'agence Gamma, le reportage prend simplement le numéro suivant. Il est donc exclusivement chronologique. La base Images, service transversal au sein de Vivendi Universal Éducation génère un numéro d'identifiant à l'image qui sera le même pour le fichier numérique image. Dans les fonds d'images informatisés, des parties d'élément peuvent se générer automatiquement pour éviter des erreurs de saisie, par exemple sélectionner un nom de photographe et un numéro de reportage s'affiche automatiquement.

Les logiciels actuels offrent tous en affichage « liste » ou « tableau » les données issues des rubriques paramétrées par l'utilisateur. Cette fonction est utile pour avoir une vue d'inventaire mais s'utilise pour d'autres usages, en résultat de recherche avec une sélection d'images associées aux données de référence ou en précommande.

Exemples :
N° identifiant/type image (Dessin, Photo, Carte)/titre et auteur/Lieu de conservation/crédit
ou
Numérotation/imagette/légende/auteur

1.2 Le légendage

Une photographie sans légende est une photographie perdue ! Ce slogan se justifie à plusieurs titres. Une image diffusée sans légende peut se prêter à des interprétations diverses, bien loin du travail du photographe. Par ailleurs, sa présence est obligatoire au regard de la loi sur le droit d'auteur. Un légendage rédigé en collaboration avec le photographe est, bien sûr, le meilleur garant de l'information et permet d'éviter des erreurs à l'indexation. La légende ne mentionne pas ce qui est évident et redondant avec l'image (angle de prise de vue, saison,…) mais ce que l'image ne « dit » pas et que l'utilisateur ne peut savoir sans explication complémentaire.

Exemples :
– Entreprise X, Lille, Test de sécurité. Passerelle pour bâchage camion.
– Charpente de la cathédrale en construction. Brasilia.
– Endoscopie de l'estomac.
– François Chicoyneau, premier médecin du Roi en 1732, surintendant général des eaux minérales et médecines de France (1672-1752).

Les informations suivantes doivent apparaître :
– les personnes photographiées : prénom, nom et fonction,
– action ou événement explicité,
– lieu : pays, lieu-dit,
– entreprise concernée, musée de conservation de l'œuvre photographiée,
– titre de l'œuvre photographiée, nom de l'artiste,
– précisions techniques,
– date de prise de vue.

Les agences photographiques et les magazines scindent la légende en deux, une légende informative et une légende-commentaire. La première précise l'image, la seconde commente et contextualise le sujet traité dans un langage journalistique[1].

Pour cette photographie de Robert Capa réalisée en 1938, *la légende générale* est :

> *« Bidding farewell to the International Brigades, which were dismissed by the Republican government, as a consequence of Stalin's friendship with Germany. The Spanish Civil War broke out in 1936, when part of the Spanish army rebelled against the Second Republic, a democratic government elected in 1931. It gained international dimensions when Fascist Germany and Italy began supporting the military uprising, led by General Franco, with weapons and soldiers. The USSR helped the Republic, and a significant contingent of volunteers joined the International Brigades and fought for the Republic. The conflict became the symbol of a larger conflict between Fascists and Communists. The war ended in 1939 with Franco's victory over the Republicans ».*

1. Frédéric Lambert, *Mythographies. La photo de presse et ses légendes*, Paris, Editing, 1986 ; Paul Almasy, *La photo à la une. Qu'est-ce que le photojournalisme ?*, Paris, CFPJ, 1980, pp. 65-68.

La légende propre à l'image, appelée légende particulière, est : « *Montblanch. Near Barcelona. October 25th, 1938* »[1].

Montblanch. Near Barcelona. October 25th, 1938.
© Robert Capa/Magnum Photos

La rédaction de la légende doit être structurée afin d'en faciliter la lecture ainsi que la recherche plein texte sur base de données.

Exemple d'une méthode introduite dans une collectivité locale :
– Action/Sujet/Lieu/Personne à l'image et sa fonction.
– Inauguration/du commissariat de police/du Petit Bard, Montpellier/par Monsieur Georges Frêche, maire de Montpellier.

1. La légende de cette photographie présentée dans l'exposition « La guerre civile espagnole, des photographes pour l'histoire » à l'hôtel de Sully à Paris de juin à septembre 2001 est complétée comme suit : [les recherches réalisées n'ont pas permis de vérifier s'il s'agit vraiment de la ville de Montblanc].

1.3 L'inventaire

L'introduction des documents en photothèque est concrétisée par un registre d'inventaire, parfois sur fichier Excel, souvent tableau généré à partir des données saisies sur le système de gestion informatisée. L'inventaire est la mémoire de la photothèque qui retrace les acquisitions ou les retraits effectués. Un musée peut de cette manière réaliser un inventaire général d'un fonds en comparant la liste des documents enregistrés et l'état réel de la collection.

Les zones d'information sont :
– numéro d'inventaire du reportage, lot homogène d'images ou image isolée,
– rubrique de classement (localisation ou code),
– légende (avec lieu, personnages…),
– date de prise de vue,
– nom du photographe et copyright,
– droits acquis (restrictions d'utilisation à préciser : droits pour l'utilisation en interne, droits pour l'utilisation en externe à l'exclusion de la publicité ; société de gestion pour les œuvres d'art),
– support et format,
– volume (nombre de vues),
– date de parution (pour une publication),
– date de dépôt. Cette date correspond à la date de mise en dépôt d'images par le photographe auprès d'une agence. Lors d'un retrait de ses images, le registre d'inventaire permet d'avoir une vision exacte des reportages, de leurs volumes et des dates de dépôt du photographe.

• *Quelques exemples*

Exemple 1

N° inventaire	Légende (sujet, lieu)	N & B (vol)	Couleur (vol)	Photographe	Date prise vue
2000-004	colloque des associations agricoles du Maine		50 ektas	S. Duraille	oct. 2000

Le registre d'inventaire est complété selon les photothèques des rubriques *code de classement* ; *parution* ; *n° de support*. La rubrique Code de classement renvoie au lieu de rangement : collection Ponts et Chaussées fonds couleur. Le numéro de support correspond au numéro attribué au support de stockage comme un cédérom ou un cd'photo : PCD.00007.45.

La rubrique Parution renseigne sur le numéro du magazine qui a publié l'image.

La gestion informatisée permet de lier les différents numéros de référencement rattachés à l'image originale (image numérique sans compression, image retouchée pour édition, image compressée pour web). Pour des usages qui leur sont propres, la banque d'images Traces de l'association Patrimoine Photographique et la Base Images du groupe Vivendi Universal Éducation ont introduit la rubrique « parution » dans leur applicatif.

Exemple 2

Exemple pour les collectivités locales ou les entreprises

N° inventaire	Photogr.	Commanditaire	n° cde	Lieu	DPV	vol.	Format (codé)	Légende
2000.050	Allard	Service communication	00.04	La Sauge	8/00	40	A	Travaux de réhabilitation bâtiment communal

La légende comprend le sujet et l'objectif : opération, chantier, sinistre, état des lieux, procédé technique…

Exemple 3

Pour les œuvres reproduites, les informations concernant l'œuvre et les droits s'y attachant sont précisées :

N° inventaire	Coul.	N & B	Conditions propriétaires	Conditions auteurs	Genre	École style
28.534	ektas		adagp	adagp	P	fr

Auteur	Titre	Ville	Musée	Exposit° Galerie	N° inventaire musée
Monet, Claude (1840-1926)	Rue St Denis, fête du 30 juin 1878	Rouen	Musée des Beaux-Arts		09-1-3XX

En complément, la rubrique de classement donne le code du fonds et sa localisation.

Exemple au musée de la Musique

Nom de l'instrument	Nom du facteur	Lieu et date de création	N° inventaire instrument	Caractéristique	Photographe	Crédit	Date PV
Mandore	Smorsone, Giovanni	Rome, 1730	E.2314	Vue de face	Jean-Marc Anglès	Musée de la Musique	04/1997

1.4 Estampillage

Les images sont systématiquement numérotées et légendées sur le support qu'il s'agisse de l'original ou du document de communication.

Les mentions *obligatoires* sont :

– nom du photographe,

– © et adresse de l'organisme ou du photographe,

– légende succincte et date de prise de vue.

La mention *recommandée* est le numéro du cliché en photothèque.

L'étiquetage se fait soit à partir d'étiquettes ou de caches imprimés, soit par l'utilisation de feutre indélébile. Il est également possible d'utiliser pour les diapositives une machine à légender directement sur le cache. La saisie des informations est faite directement sur la machine reliée à une base de données. Cette pratique, valable pour une grosse production de duplicatas, est progressivement supplantée par les codes barres sur étiquette.

L'implantation du système de gestion informatisée permet l'édition de la légende et des codes barres qui leur sont attribués dans le format d'étiquette adapté : format pour verso de tirage, format pour cache diapo ou pour fourreau d'ekta. Pour les prises de vue numériques ou les images numérisées, les données sont associées en fichier texte.

Le traitement de l'image en *watermarking* ou par insertion de filigrane se pratique sur les images accessibles sur site internet ou sur cédérom[1].

2. PRINCIPES DE CONSERVATION

La photographie, considérée comme un art « jeune » a déjà une histoire bien riche tant sur le plan technique qu'artistique. De nombreux procédés se sont développés et ont progressivement disparu (daguerréotype, calotype, ambrotype, autochrome, négatifs au procédé à l'albumine, au collodion humide…). L'image numérique est déjà dans les pratiques tant des agences photographiques que des photothèques d'entreprises. Autant de supports aux caractéristiques techniques différentes pour lesquelles des règles pratiques de conservation sont à appliquer.

2.1 Les altérations

Les détériorations sont dues à de mauvaises conditions de conservation, à une manipulation peu soigneuse ou à une instabilité des émulsions. Elles se classent en trois catégories :

– la cause mécanique : cassure du verre, rayure du négatif,

1. Emmanuel Chanial, « Les droits d'auteurs en filigrane. "Tatouer" les images pour mieux les protéger », *Le Monde interactif*, 9 février 2000, IV.

– la cause chimique qui est souvent liée à l'instabilité de l'émulsion employée ou du traitement réalisé : perte des contrastes, apparition de taches, noircissement de l'image,
– la cause biochimique : apparition de bactéries ou de moisissures.

2.2 Traitement et manipulation

La production des photographies doit être contrôlée lors du fixage et du lavage. Un fixage insuffisant produit des décolorations. En vieillissant, des taches jaunes apparaissent dans les parties claires de l'image. Les précautions de traitement relèvent des laboratoires photographiques qu'ils soient externes ou internes à l'institution gérant les images. Aussi l'établissement de clauses précises est une protection nécessaire (détérioration d'originaux, mauvais traitement ou perte de document) pour tout contrat passé avec un laboratoire photographique. Les photographies sont fragiles, particulièrement la face exposée côté gélatine, et doivent être manipulées avec soin. Pour les documents anciens, l'utilisation de gants de coton ou la mise sous enveloppe polyester est indispensable afin d'éviter le contact direct avec les doigts.

2.3 Conditions climatiques

Si l'environnement est régulièrement contrôlé, de nombreuses altérations peuvent être ralenties et la sauvegarde des documents n'en n'est que meilleure !

• *L'humidité*

Une humidité importante accélère la dégradation : décomposition et libération d'acide acétique du triacétate de cellulose appelé « syndrôme du vinaigre » ; ramollissement de la gélatine et développement de micro-organismes ; jaunissement d'une image mal lavée.

L'humidité relative est fixée de 30 à 40 % H.R. avec des variations limitées à plus ou moins 2 %. Le suivi des variations d'humidité relative se fait à l'aide d'un hygromètre.

La préférence doit être donnée aux films classiques : films noir & blanc, films inversibles en couleur plus sûrs que les négatifs couleurs par exemple.

Les papiers à support baryté restent les plus sûrs pour l'archivage. L'emploi du papier plastifié s'est généralisé depuis une vingtaine d'années grâce à ses facilités de traitement.

Les papiers couleur n'ont pas une très longue durée de conservation, les épreuves les plus stables étant les tirages au charbon (Fresson), le Dye Transfer de Kodak et le Cibachrome.

• *La température*
Une augmentation de la température accroît les réactions chimiques de dégradation. La température conseillée pour l'archivage se situe entre 18 et 21 °C pour les photographies en noir et blanc et inférieure à 2 °C pour les photographies en couleurs. De petites collections de photographies couleur peuvent être entreposées dans un réfrigérateur à air ventilé. Les fonds patrimoniaux s'équipent de thermo-hygrographes contrôlant les changements d'humidité et de température.

• *La lumière*
La lumière du soleil, des lampes fluorescentes (néons) et des halogènes contient une partie des rayons ultraviolets très nocifs envers les matériaux composant les documents, provoquant noircissement, jaunissement ou décoloration. Les effets de la lumière sont cumulatifs, aussi la prévention porte sur l'exposition et le choix des lampes :
– réduire la fréquence d'exposition et la durée,
– l'intensité lumineuse ne doit pas dépasser 150 lux pour le noir et blanc et 50 lux pour la photographie couleur,
– l'ultraviolet doit être inférieur à 75 microwatts pour le lumen. Pour ce faire, choisir les lampes à incandescence ou les tubes fluorescents équipés de filtres anti-UV.

• *La pollution*
Les sources de pollution sont multiples : gaz d'échappement, photocopieurs, produits d'entretien, peinture, vernis, cartons acides, colles… Le stockage des originaux dans des locaux d'archivage dissociés des locaux de travail et un dépoussiérage régulier réduisent les dégradations qui en découlent.

Les contenants et les matériaux pour l'archivage doivent être chimiquement stables et sélectionnés auprès de sociétés spécialisées comme Atlantis, SERC, SECAN ou Stouls.

2.4 Conservation des documents numériques

La normalisation et les récents résultats d'études[1] nous enseignent que toute copie de fichier numérique pour conservation doit être réalisée en haute définition sans compression et sans retouche afin de préserver la qualité de l'image. Elle peut s'accompagner d'une double sauvegarde sur des supports de types différents. La norme ISO/CD 16111 précise les conditions de stockage des disques optiques. La durée de vie du support cédérom (entre 5 à 25 ans) et l'obsolescence des outils et supports informatiques (entre 2 et 5 ans) nécessite une recopie régulière des données.

Voici ci-dessous les recommandations de conservation pour les disques compacts :

température	5 à 20 °C
humidité	30 à 50 %
gradient de température	4 °C par heure maxi
gradient d'humidité relative	10 % par heure maxi

3. Conditionnement et équipement

L'aménagement des lieux distinguant locaux de travail et locaux d'archivage est souhaitable tant pour garantir de bonnes conditions de conservation que pour protéger une collection d'originaux d'éventuels sinistres. De même, le stockage des documents selon leur nature et leur format doit se faire parallèlement à la mise en place d'une collection de consultation.

1. Résultat d'une étude sur www.rlg.org/preserv/deginews/ et les travaux de l'ARSAG & le CRCDG.

3.1 Conditionnement

• *Plaques de verre*
Les documents se conservent verticalement en évitant de les serrer. Chaque plaque se place dans une pochette en polyester neutre ou en papier neutre respectant la norme ISO 10214 en excluant l'utilisation du papier cristal. Utiliser le mobilier de rangement métallique (aluminium anodisé ou acier inoxydable) en proscrivant le bois, la peinture et le vernis.

• *Films de type diapositives, microfilms, négatifs, plans films, photographies*
Une politique de duplication ou de numérisation est à instaurer en tenant compte de la fréquence des communications. Le service de reproduction de la Bibliothèque nationale de France a mis en place une politique de sauvegarde avec une gestion de trois exemplaires : un exemplaire de sécurité argentine, un exemplaire de travail et un exemplaire de communication.

Placer les documents dans des pochettes plastique polyester (Mylar D, Terphane, Melinex), polyéthylène ou polypropylène à l'exclusion du papier cristal et du PVC (polychlrure de vinyle).

Les tirages papier se classent en boîtes, pochettes suspendues ou albums. Les photographies ne doivent jamais être conservées avec les boîtes d'origine vendues avec les surfaces sensibles.

• *Rangement par type de document*
Si les précautions mentionnées relèvent de principes communs, le rangement par type de document est indispensable et complémentaire. Ainsi tirages photographiques, planches contact et négatifs sont classés séparément de façon systématique. Il en est de même pour les ektas et leur duplicata.

3.2 Équipement

Pour une petite collection, le stockage en boîtes carton ou métalliques est suffisant. En revanche, pour une collection en accroissement, deux types de meubles sont fréquemment utilisés : les meubles classeurs et les meubles rotatifs. Le critère de sélection prend bien sûr en compte le budget d'équipement, le volume des collections, le mode d'organisation interne et les locaux alloués. Quoi qu'il en soit, le mobilier doit être en métal revêtu d'un émail ou d'une peinture cuite au four.

• *Les meubles classeurs*
Ils sont conçus sur le principe des meubles de bureau, hermétiques et dotés de tiroirs sur roulettes. Certains modèles intègrent une table lumineuse.

• *Les meubles rotatifs*
Ils sont constitués de classeurs automatiques qui se montent sur demande intégrant les différents contenants : boîtes, dossiers suspendus, albums. Leur principe est modulaire. Les deux grandes marques sont Electroclass et Kardex. Parmi les matériels spécifiques nécessaires à l'équipement d'une photothèque, citons la table lumineuse et le compte-fils, outils de travail nécessaires pour vérifier le piqué et la netteté des diapositives, à choisir de très bonne qualité (table lumineuse Hancocks, Ahel, Just ; compte-fils Peak).

4. Numérisation des images

Opter pour une numérisation de son fonds d'images soulève des questions de stratégie et d'organisation : définition de la politique de développement ou de sauvegarde, élaboration d'un cahier des charges, mise en place d'une chaîne de traitement, sélection des fonds prioritaires, clarification des droits d'auteur et répartition des travaux spécifiques. Aussi la compréhension technique est un préalable à toute étude de projet de numérisation. Le numérique ne possède pas la même souplesse que l'argentine. En effet, le recours à des tirages photographiques de formats variables est toujours possible. En revanche, pour l'image numérique, c'est l'utilisation finale définie qui va conditionner le type de numérisation (niveau de résolution, capacité de stockage, rapidité de débits des réseaux, choix de diffusion), c'est-à-dire les choix techniques énoncés lors de l'étude préalable.

4.1 Image numérique

L'image numérique[1] est une image sous forme de fichier informatique. Elle s'inscrit dans une matrice de points ou unités complémentaires, les pixels (*picture elements*) qui s'expriment en nombre de lignes par nombre de colonnes. Plus ce couple est élevé, plus la *définition*[2] de l'image est haute. Un pixel peut prendre des valeurs intermédiaires de gris (échantillonnage en 256 niveaux de gris, codé sur 8 bits) ou de couleurs (analyse selon le mode 3 couleurs RVB, rouge/vert/bleu, avec 16 millions de couleurs, codé en 24 bits, 8 bits pour chaque canal).

La définition caractérise le degré de qualité de l'image numérique. Il est recommandé d'obtenir une haute définition de départ et de procéder ensuite lors de la consultation à un sous-échantillonnage adapté à la diffusion prévue. Les outils d'acquisition professionnels permettent d'effectuer une analyse plus ou moins fine et peuvent atteindre jusqu'à 4 000 x 6 000 pixels.

Lors de la numérisation, la *résolution*[3] de l'image est définie à partir de l'appareil de numérisation choisi (scanner, appareil photographique) en fonction de l'utilisation envisagée. Elle s'exprime en points par pouce (ppp) ou *dots per inch* (dpi)[4].

La résolution ne s'applique pas seulement aux outils d'acquisition mais également aux outils de restitution que sont les écrans informatiques (72 dpi de résolution moyenne) et les imprimantes.

Dans le domaine de l'imprimerie en photogravure, on estime en trame d'impression[5]. Généralement la résolution du scanner doit être le double de la trame d'impression.

Le tableau de la page suivante présente des chiffres donnant un ordre de grandeur des résolutions minimales à respecter pour une bonne reproduction d'un document.

1. Plusieurs sites internet présentent des documents techniques parfois aussi des cours : www.ccr.jussieu.fr/urfist ; www.culture.fr
2. Définition : nombre de pixels comptés au total dans la largeur ou la hauteur de l'image ; elle est la finesse du point d'affichage à la restitution.
3. Résolution : nombre de pixels, de points ou de paires de lignes par unité de longueur. Elle est la finesse d'échantillonnage à la saisie.
4. Un pouce = 2,54 cm.
5. Trame : linéature. Elle se mesure en lpi.

Dimensions imprimables selon la trame d'impression et la résolution du scanner

Usage	Trame dpi/cm	128 x 192	256 x 384	512 x 1536	1024 x1536	2 048 x 3 072	4 096 x 6 144
Quotidien	85/34	19 x 28	38 x 57	76 x 115	153 x 230	305 x 460	610 x 910
Périodique	133/52	12 x 18	24 x 36	50 x 75	100 x 146 A4	196 x 292 A4	390 x 585
Périodique	150/60	-	22 x 32	44 x 65	87 x 130	173 x 260 A4	347 x 520
Édition	175/70	-	19 x 25	37 x 55	74 x 111	150 x 222	297 x 445 A3
Édition HD (luxe)	200/80	-	16 x 25	33 x 50	65 x 100	130 x 195	260 x 390 A3

Le fichier numérique une fois produit occupe un volume sur le support de stockage (disque dur, cédérom ou autre) dont le « poids » est exprimé en octets. Ce poids est plus ou moins important selon le codage couleur appliqué. Face à l'importance des volumes, il est nécessaire de comprimer et d'enregistrer les images sous un format adapté à l'utilisation prévue – jpeg, gif ou tiff – (cf. 4.4. format d'images).

Le tableau suivant présente le *« poids informatique d'une image en octets »*. Sur le site www.cc.jussieu.fr/urfist/image-numerique, un tableau permet de calculer le format d'enregistrement des images. Il va de soi que l'institution ayant une volonté de conservation archive au préalable les images non comprimées sur un support ayant une fonction de matrice. La migration périodique des données numériques est indispensable compte tenu de l'évolution technique et de la durée de vie limitée des supports.

Poids informatique d'une image couleur 24 bits en octets

Nombre de pixels (définition)	Poids image non compressée	Poids image compressée jpeg 15/1 (bonne qualité)	Utilisation
128 x 192	70 Ko	5 Ko	Vignette, Impression plaquette
256 x 384	300 Ko	20 Ko	Consultation, imagette, réalisation maquette

Nombre de pixels (définition)	Poids image non compressée	Poids image compressée jpeg 15/1 (bonne qualité)	Utilisation
512 x 768	1, 12 Mo	80 Ko	Consultation, affichage TV, multimédia
1 024 x 1536	4,5 Mo	310 Ko	Affichage TV haute définition, multimédia
2 048 x 3 072	18 Mo	1,2 Mo	Impression édition qualité
4 096 x 6 144	72 Mo	5 Mo	Impression de luxe

4.2 Les procédés de numérisation

Le choix du procédé et du niveau de résolution prend en compte la diversité des supports à numériser, leur dimension et leur qualité. On distingue deux grandes familles de supports : les supports opaques comme les tirages papier et les supports transparents qui peuvent être des positifs (diapositives 24 x 36, Ekta 4 x 4, 6 x 6…), des négatifs films noir et blanc ou couleurs mais aussi des plaques de verre.

Le choix de numérisation varie en fonction de la couleur de l'original et de son format. La qualité se mesure à partir de critères visibles à l'œil nu comme les contrastes mais aussi de critères plus perceptibles avec un zoom comme la netteté ou le grain. Il est préférable de numériser à partir de l'original et de s'interroger sur la profondeur de codage du pixel nécessaire pour les images couleur (sur 16 bits ou 24 bits ?). La Bibliothèque nationale de France a choisi une résolution de 2 000 x 3 000 pixels avec un codage sur 24 bits et les Archives photographiques de Saint-Cyr une résolution de 2 000 x 1 500 pixels avec un codage sur 16 bits.

Différents procédés de numérisation coexistent. Les grandes sources d'acquisition sont les scanners, l'appareil photo-numérique et les caméras.

• *Le scanner à plat ou « de bureau »*

Il accepte une grande variété d'originaux opaques : page de livre, reliure, tirages photographiques ainsi que des documents transparents mais uniquement sur les modèles avec un dos interchangeable. Les négatifs souples à partir du 9 x 12 peuvent être traités. La taille maximum correspond au format A4. La résolution fréquente est de 300 à 1 200 dpi et permet de traiter les diapositives. Certains modèles ont des résolutions jusqu'à 4 800 dpi (marques Epson, Agfa Leafscan).

• *Le scanner à diapositives*
Il est appelé Slide scanner ou scanner à film. Deux types sont proposés sur le marché : le scanner pour le format 24 x 36 et le scanner étendu du 24 x 36 au film 35 mm et aux ektas. La résolution varie de 2000 à 4 000 dpi. Ces scanners sont très utilisés dans l'industrie de la publication. (marques Epson, Canon, Polaroïd, Nikon de LS1000 et LS 2000, Coolscan de Nikon).

• *Le scanner à tambour ou « rotatif »*
Il permet d'analyser opaques et transparents. Ce type de scanner professionnel est utilisé par les photograveurs. Il est polyvalent, très performant, souvent plus complexe d'utilisation et plus coûteux. Il nécessite la présence d'un opérateur pour une manipulation soigneuse et rapide des films. La résolution peut atteindre 12 000 dpi.

• *L'appareil photo-numérique*
Ce type d'appareil renferme un système de numérisation interne. Au point de vue optique, il est équivalent à l'appareil classique. Les capteurs atteignent un nombre de pixels important. L'utilisation d'un dos numérique haut de gamme permet de numériser un document opaque de 60 cm dans une résolution de 300 dpi à 7 000 x 7 000 pixels.

• *La caméra reliée à une carte d'acquisition*
L'image est traitée directement par l'intermédiaire d'une caméra vidéo reliée à une carte d'acquisition située dans l'ordinateur. Cette solution, fréquemment utilisée avant le développement des appareils photo-numériques était pratiquée pour des raisons économiques. L'agence photographique de la Réunion des musées nationaux a traité ainsi une grande partie de son fonds. L'acquisition d'image vidéo fixe est rapide mais la définition est faible : 768 x 576 points. Ce type de caméra est supplanté actuellement par la caméra numérique. Les caméras numériques respectent la norme TWAIN.

Les sources d'acquisition des documents sont donc multiples : acquisition directe *via* caméra ou appareil photographique, traitement par scanner ou fichiers informatiques existants issus de cédéroms.

4.3 Retouche d'images

L'image scannée est parfois retouchée pour obtenir une qualité satisfaisante pour les diverses utilisations prévues. Ces opérations se font avec des logiciels de traitement d'images, généralement intégrés ou parfois en accompagnement des outils d'acquisition (Adobe Photoshop qui fait figure de standard, Colorstudio, Paint Shop Pro…). Des travaux sont parfois réalisés pour palier les problèmes fréquents lors de la numérisation (image trop foncée, floue…).

4.4 Format d'images

Les fichiers informatiques se distinguent par leur format identifié par l'extension du nom du fichier (.jpeg, .bmp, .tif…). Il existe deux grands types de formats d'images numériques : les bitmaps et les vectoriels. Les formats bitmaps sont destinés à la représentation de photographies alors que les formats vectoriels conviennent mieux à des modélisations en 3 D. De nombreux formats de fichiers existent pour les images bitmap « images à points »[1] mais il est recommandé de ne pas adopter de formats propriétaires. Un format d'image comprend un en-tête qui contient les données sur l'image – taille et profondeur de l'image – suivies des données de l'image. Les formats les plus fréquents pour les fichiers images sont tiff, gif, jpg, dont les usages sont précisés dans le tableau comparatif (cf. *supra)*.

• *Le BMP (BitMaP)*
Le format bitmap décrit l'image telle qu'elle s'affiche à l'écran : les points de l'image sont conservés dans le fichier. Il est utilisé sur la plate-forme Windows pour les captures d'écran. On diminue le volume de stockage ini-

1. Ce format est utilisé sur la plate-forme Windows, pict étant celui pratiqué pour les ordinateurs Apple.

tial en le compactant. Selon les techniques, différents modes de compression permettent aux fichiers d'être moins « lourd » et d'accélérer l'accès aux documents numérisés. La compression se fait par le biais de cartes ou de logiciels spécifiques avec ou sans perte d'informations.

• *Le TIFF (Tagged Image File Format)*
Ce format de fichier, conçu pour l'acquisition et la création d'images, est proposé par défaut dans les logiciels de numérisation. Il permet d'enregistrer des images sans compression ou avec compression « LWZ »[1]. Ce format connait à l'heure actuelle de nombreuses versions ce qui peut entraîner de fréquents problèmes de compatibilité entre logiciels (visualiseurs, logiciels de retouches…).

• *Le GIF (Graphics Interchange Format)*
Format d'échange « propriétaire » développé par la compagnie Compuserve Graphics sous brevet Unisys, il est l'un des plus courants pour les images mais il code uniquement 256 couleurs par pixel. Son utilisation est fréquente pour la diffusion d'images sur la toile et pour des images de type logo et schéma. Il est actuellement en perte de vitesse à la suite de la demande de royalties faite par Compuserve.

• *Le JPEG (Joint Photographic Expert Group)*
Ce format est la représentation d'une norme ISO, développé par le comité industriel, groupe expert en technologie de l'image fixe. Il permet un paramétrage du taux de compression pouvant réduire le volume indexé à la perte de qualité tolérée par l'utilisateur. Ce format est très avantageux pour la diffusion sur internet. La perte d'informations est liée au taux de compression. JPEG est à la fois un format de fichier et un standard de compression reconnu sur les plates-formes Macintosh et Windows. Une image enregistrée en jpeg et retouchée doit être « réenregistrée » en format non compressé comme le tiff afin de ne pas additionner plusieurs dégradations. Le format JPEG 2000 est en cours d'implantation. Parmi ses innovations, il utilise la technique des ondelettes comme mode de compression, intègre les métadonnées pour les droits et l'espace CMJN (Cyan/Magenta/Jaune/Noir).

1. LZW : méthode de compression d'un fichier sans perte (= non destructive).

• *PNG (Portable Network Graphics)*
Ce format est né de la volonté de se détacher du format gif « propriétaire ». Il est recommandé pour la diffusion internet par le consortium W3. Ce format qui devait s'imposer comme un standard est peu utilisé et n'est présent que sur les navigateurs récents. Sa fonction « signature électronique » inscrit dans le fichier le nom de l'auteur ou celui de l'œuvre.

• *EPS (Encapsuled Postscript)*
Ce format d'image vectorielle de type postscript, destiné à l'impression, est reconnu sur les plates-formes Macintosh et Windows. Il est basé sur le principe de la quadrichromie dissociée. On peut trouver EPS sous la forme EPS/ JPEG.

Tableau format d'images

Type	Compression des données	Nombre des couleurs supportées	Usage
BMP Mac reconnu PC extension .BMP	Non	16 millions de couleurs	Tous usages sauf internet Utilisation fonds écrans sous Windows
PICT Mac oui PC reconnu	Non	16 millions de couleurs	Équivalent à BMP
TIFF Mac oui PC extension .TIF	Compression non dégradante des images	16 millions de couleurs	Format très utilisé en GEID, Tous usages sauf internet Adapté au monde du prépresse
GIF Mac oui PC extension .GIF	Compression non dégradante des images	256 couleurs	Diffuseurs d'images Diffusion sur internet
JPEG Mac oui PC extension .JPG	Compression variable (avec perte) Taux élevé	16 millions de couleurs	Créateurs de sites sur internet Images avec grands dégradés de couleurs

Type	Compression des données	Nombre des couleurs supportées	Usage
PNG Mac oui PC extension .PNG	Compression non dégradante des images	16 millions de couleurs	Tous usages Diffusion sur internet avec signature électronique
EPS Mac oui PC extension .EPS	Non	16 millions de couleurs	Format de description standard des imprimantes postscript

4.5 Usage et stockage

L'image stockée sur un support informatique est destinée à être visualisée sur un écran, en local, à distance ou reproduite. Aussi, afin de permettre plusieurs utilisations, la numérisation est fréquemment multi-paliers :

Les trois paliers de numérisation

Image vignette	128 x 192 pixels	Basse définition Visualisation image sur écran Idéal pour transmission à distance Accès en ligne
Image plein écran	512 x 768 pixels	Moyenne définition Restitution image sur imprimante Accès en ligne
Image pleinement résolue	2 048 x 3 072 pixels	Haute définition Nécessaire pour une filière « tout numérique » d'imprimerie ou de presse

De manière générale, le premier et le second palier permettent une exploitation en ligne avec un affichage rapide. Le troisième palier est archivé sur un support de stockage externe (support optique de préférence comme le cédérom ou le DVD) et dupliqué à la demande.

Les supports de stockage sont magnétiques ou optiques en évolution rapide. Bien qu'il soit moins cher et plus rapide d'accès, le support magnétique (disque, bande, cartouche JAZ ou ZIP) est plus fragile et sa durée de vie est plus courte que le support optique (DON, cédérom, DVD), son utilisation étant liée à l'intégration sur le disque dur ou le serveur.

La capacité du cédérom est de 650 Mo (mégaoctets) soit environ 400 images 2 000 x 3 000 comprimées 15/1. Il peut contenir toutes sortes de fichiers aux standards différents : bmp, tiff, Jpeg, gif…

La capacité du DVD (Digital Versatil Disk) est 7 à 20 fois supérieure au cédérom soit 4,5 Go (gégaoctets) à 13 Go avec une compatibilité ascendante.

Dans le cas d'un choix de numérisation interne, la chaîne de traitement inclut une station de gravure de cédérom. Dans le cas contraire, le prestataire choisi doit répondre à un cahier des charges soumis par la photothèque. Certains éditeurs de logiciels proposent la numérisation soit exclusivement à leurs clients, comme la société Orkis, soit en prestation dissociée comme la société DFI.

4.6 Mise en place d'une chaîne de traitement numérique

Que la numérisation soit réalisée en interne ou en externe, l'organisation et la planification des tâches sont nécessaires (cf. les documents de référence rédigés par Vidéomuseum et par l'Inventaire général[1]).

Le cahier des charges définit les prestations de contretypage, de cadrage des prises de vue numériques, l'étalonnage prévu, les formats de fichiers et les supports de livraison des images, les fichiers des notices documentaires, le nommage des fichiers et des supports de livraison, etc.

Exemple de chaîne de numérisation

Tâches	Qui	Comment
Description signalétique : légende, auteur, cote, couleur	Fonds d'images	Saisie sur la base de données ou sous traitement de texte

1. Organisation de la procédure de numérisation des images disponible aux adhérents de l'association Vidéomuseum ; Gestion des images numériques à l'Inventaire Général. Recommandations techniques disponible à l'adresse : www.culture.gouv.fr/culture/mrt/numerisation/index.htm

Tâches	Qui	Comment
Préparation des images par lots « homogènes » (par support, format, auteur, sujet) avec possibilité d'identifier chaque lot ou image par un code-barre Tableau de suivi des lots	Fonds d'images	Export de la base de données pour transmission en format compatible (bureautique)
Commande d'assurance lors des déplacements	Fonds d'images	Commande *via* le service comptable
Numérisation des documents au format défini à la résolution fixée dans le cahier des charges	Fonds d'images (photographe) ou Prestataire	Numériseur
Traitement : cadrage, recadrage, retouche Numérotation selon consigne des fichiers et des supports : Fichiers TIFF ; Fichiers jpeg Report sur le tableau de suivi des lots des données	Fonds d'images ou Prestataire	Traitement avec logiciel de retouches
Réception des supports et du tableau Contrôle des images Contrôle du tableau Intégration du tableau de suivi des lots sur la base de données	Fonds d'images	Import dans la base de données documentaire du tableau de suivi des lots et mise à jour
Chargement des images sur la banque d'images	Fonds d'images	Import dans la banque d'images avec lien automatique avec la base de données documentaire
Stockage des CD de conservation	Fonds d'images	Selon les règles de conservation

Une fois les principes du traitement matériel des documents images édictés et appliqués dans la chaîne de travail, l'approche descriptive peut être abordée.

5

TRAITEMENT INTELLECTUEL

Le descriptif tant bibliographique que du contenu lui-même est la troisième étape du traitement d'un fonds d'images. L'enjeu est essentiel car, à ce stade, des décisions sont à prendre par le gestionnaire : quel niveau de traitement adopter ? quelle approche de l'image est prédominante dans son contexte ? Le descriptif s'appuie sur une norme de catalogage propre à l'image fixe et sur une indexation réalisée à partir d'un langage documentaire complété le cas échéant de listes de termes appropriés à l'image.

1. Catalogage

1.1 Règles de catalogage

La rédaction manuelle ou sur base de données des notices des nouveaux reportages suit les règles de catalogage présentes dans la norme Z44-077 « Documentation - Catalogage de l'image fixe - Rédaction de la description bibliographique » publiée en septembre 1997. Elle s'applique :

> « aux images fixes, en deux dimensions et sur support mobile (*les affiches, les dessins, les estampes et les photographies*), éditées ou non, uniques ou multiples, créées par quelque technique que ce soit, ainsi qu'aux matrices éventuellement nécessaires à la création de ces images ... destiné à intégrer la description bibliographique des images fixes dans des catalogues multimédia. »

Son utilisation est souple et modulaire. Elle permet de choisir son niveau de catalogage, image par image, par lots d'images éditées ou encore par lots factices, c'est-à-dire constitués par l'organisme diffuseur comme un ensemble homogène d'images[1].

1. Marie-Claude Thompson, « L'image fixe : un catalogage sans idée fixe », *Bulletin des bibliothèques de France,* t. 38, n° 5, 1993.

Elle s'est appuyée sur les recommandations internationales de la description des documents autres que livres NBM (*Non-Book materials*). L'information sur l'image est structurée en zones de description dans l'ISBD (*International Standard Bibliographic description*) : Cette information est obtenue auprès des auteurs ou issus du cahier d'enregistrement préalablement renseigné.

La zone 1 porte sur le titre et les auteurs. La recherche d'informations pour la rédaction du titre (titre du reportage ou légende) est parfois longue et complexe pour des fonds anciens et peu connus. Les auteurs sont des personnes physiques et des personnes morales, par exemple Willy Ronis, le photographe et Rapho, l'agence photographique qui le diffuse.

La zone 2 précise l'état d'une estampe ou le tirage d'une photographie.

La zone 3 n'est pas utilisée pour les images fixes, elle est particulière à d'autres documents comme les cartes géographiques ou les plans.

La zone 4 est celle de l'adresse, c'est-à-dire le lieu d'édition, l'éditeur et la date d'édition. La date mentionnée est celle du document traité, généralement la date de prise de vue pour les agences photographiques ou les photothèques.

La zone 5 est celle de la description matérielle. Elle précise le support, le format, la notion de couleur et la technique employée pour l'image ou l'ensemble des images par exemple : *20 photogr. pos. sur papier albuminé : d'après nég. sur verre ; 10 x 13,5 (épr.)* ou encore *: 1 est. : eau-forte, burin ; 39 x 32 cm (im.)*

La zone 6 est réservée aux mentions de collection pour des images éditées, dans un album ou un portfolio.

La zone 7 est la zone des notes qui complète et précise les informations mentionnées dans les autres zones. Les parutions significatives sont également mentionnées dans cette rubrique.

La zone 8 donne les numérotations préexistantes.

Chaque élément de description est introduit par une ponctuation précise. Par exemple chaque zone est séparée par .- (point, tiret, espace) souvent généré avec les logiciels actuels de bibliothèque.

Exemple d'une image identique en édition différente, l'une en tirage original, l'autre en édition de carte postale (affichage ISBD) :

Le baiser de l'hôtel de ville/Robert Doisneau, photogr. ; Rapho [agence] .- [Epr. de tir. Original] .- Paris : Rapho, 1950.- 1 photogr. pos. : n. et b. ; 13 x 18 cm (épr.)

Kiss by the Hôtel de ville, Paris, 1950 : Photograph by Robert Doisneau/Robert Doisneau, photogr..- Paris : Rapho [agence] ; New York : Fotofolio (éd.), [198. ?] .- 1 impr. photoméc. (carte postale) : n. et b. ; 10,5 x 15 cm . ISBN 1-881270-62-9

Les fichiers éditeurs et auteurs permettent d'accéder aux informations déjà saisies et vérifiées. Elles sont importées dans la notice descriptive de l'image en cours de traitement. Dans notre exemple, les accès proposés sont :
Auteur *personne physique ou collectivité* (s)
Doisneau, Robert (1912-1994)
Rapho, agence photographique

1.2 Format

La mise en forme de la notice descriptive varie selon l'environnement professionnel, bibliothèque, presse, documentation ou musée, et l'incidence est forte dans le choix d'un logiciel adapté aux besoins affichés. Ainsi, les musées choisissent fréquemment le logiciel Micromusée[1] qui leur est préconisé par la direction des Musées de France. Ce logiciel initialement dédié à la gestion des mouvements d'œuvres a intégré une partie documentaire avec un module multimédia.

1. Micromusée est diffusé par la société Mobydoc implantée à Toulouse : www.mobydoc.fr

1.2.1 Les formats MARC (MAchine Readable Catalogue)

Ce sont des formats qui ont vu le jour dans les années 1960 avec le développement informatique. Ils sont basés sur les ISBD et sont largement utilisés dans les bibliothèques pour traiter leurs documents (ouvrages, périodiques, ressources électroniques, images…). Le format MARC (*Machine Readable Cataloguing*) permet, grâce à sa structure très détaillée, de réaliser des traitements élaborés et entre autres fonctions, l'échange de données entre catalogues bibliographiques. Encore faut-il parler le même MARC, car il y a presque autant de MARC que de pays. Heureusement UNIMARC (le format universel d'échanges)[1] a été créé pour normaliser les échanges. Ainsi la Bibliothèque nationale de France propose ses notices dans son format INTERMARC mais également en UNIMARC.

Prenons l'exemple de ce dernier qui comprend dix blocs de 100 zones dont les principales sont :
– 200 à 299 : bloc des informations descriptives (elles correspondent globalement aux zones de l'ISBD,
– 300 à 399 : bloc des notes,
– 600 à 699 : bloc de l'indexation matière et de classification,
– 700 à 799 : bloc de la responsabilité intellectuelle (ce sont tous les points d'accès auteurs : personnes, collectivités).

Voici l'exemple précédent en affichage UNIMARC complété d'une indexation :

200 $a Le|Baiser de l'hôtel de ville
$f Robert Doisneau, photogr.
$g Rapho [agence]
205 $a [Epr. de tir. Original]
210 $a Paris $c Rapho $d 1950
215 $a 1 photogr. Pos. : n. et b.
$c 13 x 18 cm (épr.)
606 $a Couples
607$a Paris $g France
610 $a Attitudes
700 $a Doisneau $b Robert $d 1912-1994
710 $a Rapho

1. UNIMARC Manual bibliographic format : update 2, Paris, K. G. Saur, 1998.

1.2.2 Le Dublin Core

Pour favoriser la diffusion sur internet de tout type d'information, une norme de description a été élaborée avec des règles : le Dublin Core Metadata créé à Dublin en 1995 dans l'Ohio (États-Unis) www.dublincore.org. Ainsi l'indexation des champs du Dublin Core par les moteurs de recherche du web devrait optimiser la recherche des ressources sur internet. La norme comprend 15 éléments établis avec des professionnels issus entre autres de la bibliothéconomie, de l'informatique, de la muséologie et du balisage des textes. Les éléments informent sur l'aspect matériel du document (appelé ressource), sur le contenu du document lui-même et les droits associés.
Chaque élément est optionnel et peut être répété avec des attributs associés.

• *Métadonnées relatives à la matérialisation*
Date : Date de création ou de publication de la ressource,
Type : Catégorisation de la ressource, nature ou genre du contenu. Une liste provisoire de valeurs est proposée,
Format : Matérialisation physique ou digitale de la ressource,
Identifiant (*Identifier*) : Sa valeur est unique (ISBN, URL,…).

• *Métadonnées relatives au contenu*
Titre *(Title)* : nom donné à la ressource par son auteur ou son éditeur.
Sujet et mots clefs *(Subject)* : le sujet est décrit par des mots clefs, des phrases ou des codes de classification.
Description : textuelle, elle peut être un résumé, une table des matières, un texte libre,
Source : valeur d'identification du document original.
Langue *(Language)* : langue du contenu intellectuel de la ressource, sous forme codée (ISO 639, ISO 3166).
Relation : référence à une autre source ayant une relation avec cette ressource.
Couverture *(Coverage)* : couverture spatio-temporelle du contenu intellectuel de la ressource (région, époque,…).

• *Métadonnées relatives à la propriété intellectuelle*
Créateur *(Creator)* : responsable de la création de la ressource : auteur, artiste, photographe, illustrateur. Créateur inclut une personne, une organisation ou un service,
Éditeur *(Publisher)* : entité responsable de la diffusion sous sa forme actuelle,
Contributeur *(Contributor)* : une entité qui a contribué à la création (traducteur, organisme…),
Gestion des droits *(Rights)* : informations sur les droits relatifs à la ressource avec des liens vers une mention des droits ou un service.
Voici le fichier de la notice de l'exemple précédent :
<METANAME = "DC.Title" CONTENT = "Le Baiser de l'hôtel de Ville">
<META NAME = "DC.Creator" CONTENT = "Doisneau, Robert">
<META NAME = "DC.Date" CONTENT = "1950">
<META NAME = "DC.Type" CONTENT = "image">
<META NAME = "DC.Format" CONTENT = "image/gif">
<META NAME = "DC.Identifier" CONTENT = "http://www.rapho.com/expos/
expo2_fr.htm">

Néanmoins, le Dublin Core ne fait aucune mention sur la manière dont les données doivent être saisies[1]. Quelques expériences ont été faites[2].

1.2.3 Le modèle IPTC (International Press Telecommunication Committee)

Les agences de presse et de plus en plus les magazines et quotidiens qui transmettent leurs photographies saisissent les données nécessaires à la diffusion internationale dans un format standard, le modèle IPTC, élaboré par un groupe de travail, émanation de l'IPTC et de NAA. Y sont présentes des informations purement techniques étendues à des notions de catégorisation. Les services d'archives photographiques, lors de la réception des images,

1. www.bibl.ulaval.ca/DublinCore/… ; www-rocq.inria.fr/~vercoust/METADATA/DC.
2. François Paradis, Anne-Marie Vercoustre, « Metadata for photographs : from digital library to multimedia application », communication à la conférence ECDL'99, Paris, septembre 1999 ; Yvon Lemay, « Les métadonnées comme outil de gestion des archives photographiques », *Cursus,* vol. 4, n° 1, automne 1998 (www.fas.umontreal.ca/EBSI/cursus/…).

peuvent corriger ou modifier des éléments imprécis ou inexacts, que ce soit la date de l'événement photographié ou la légende elle-même, avant de valider la notice et de l'intégrer dans la banque d'images. Une image est donc toujours associée aux données qui la concernent qu'elles soient d'ordre intellectuel ou juridique par la saisie systématique de rubriques relevant des 6 blocs (Légende, Mots clés, Catégories, Crédits, Origine, Compression).

Pour faciliter les échanges, l'IPTC propose des listes pour les mots clés et les catégories (cf. www.iptc.org).

L'observation des pratiques actuelles confirme la nécessité d'un traitement le plus précis possible. Avec l'utilisation des bases de données en réseau, les informations collectées en amont dès l'entrée des images sont ensuite complétées, corrigées et normalisées lors de la description bibliographique. L'indexation de contenu, deuxième volet du traitement intellectuel, reste l'aspect le plus complexe car il nécessite de décrire avec des mots l'image aux multiples sens et si souvent « chargée d'affect ».

2. Analyse de l'image

Tous les fonds iconographiques développent des systèmes d'accès utilisant des représentations des images faisant appel au langage. L'analyse, étape préalable à l'indexation doit permettre de traiter l'image dans ce qu'elle décrit et dans ce qu'elle porte comme information.

Sa lecture n'est pas universelle mais multiple. Elle est liée à son usage qui diffère selon les institutions et les publics. Ainsi les premiers reportages réalisés par Robert Doisneau sont traités différemment à la photothèque Renault, à l'agence Rapho ou à la Bibliothèque nationale de France Si la valeur descriptive d'une image peut être reconnue de tous, sa valeur symbolique est différente selon la culture visuelle, les conditions sociales et les croyances de chacun.

L'image a plusieurs sens et sa polysémie rend difficile la transcription par le texte. Sa perception varie selon son contexte, sa place dans une publication et la légende qui l'accompagne. Elle permet de multiples interprétations qu'il convient de réduire en vérifiant la légende du photographe et en resituant l'image dans son reportage d'origine afin de mieux la contextualiser. Citons à ce propos le célèbre cas de la photographie de Robert Doisneau

(1958) d'un homme au comptoir d'un bar et d'une femme à ses côtés devant un verre de vin qui illustra abusivement un article sur l'alcoolisme[1].

La prise en compte de la hiérarchie des trois composants (vivants, mobiles, fixes) est également fondamentale En effet, le composant vivant domine toujours les autres dans une image quelle que soit sa place.

> « Les humains et les animaux constituent des composants vivants ; certains phénomènes et éléments naturels sont perçus comme des composants mobiles ; les montagnes, les maisons, les objets de toute sorte sont des composants fixes. »
>
> Paul Almasy, « La photographie fonctionnelle », *Le photojournalisme : informer en écrivant des photos,* Paris, CFPJ, 1993, pp. 33-34

Deux catégories de méthodes d'analyse de l'image se sont développées, celles ancrées dans le domaine de l'histoire de l'art élaborées par des théoriciens comme Erwin Panofsky et Ernst Hans Gombrich et celles élaborées autour d'une théorie du signe, la sémiologie (Roland Barthes) et la sémiotique (Charles Sanders Pierce)[2].

Laurent Gervereau, directeur du site imagesmag.net, constate d'ailleurs, dans son article « Le sens du regard » (*BBF*, n° 5, septembre 2001, p. 22) :

> « Aujourd'hui nous assistons à une hybridation des méthodes à effets heuristiques. »

Deux praticiennes de la documentation iconographique, Ginette Bléry et Isabelle Wertel-Fournier[3], par leurs travaux respectifs, ont apporté aux responsables de fonds d'images des éléments de méthodologie.

Ginette Bléry étudie dans sa thèse soutenue en 1976[4] les diverses facettes de l'image et dégage trois niveaux de lecture rappelés ci-dessous :
– aspect technique ou analyse morphologique,

1. Gisèle Freund, *Photographie et Société, op. cit.*, p. 173.
2. Martine Joly, *L'image et les signes : approche sémiologique de l'image fixe,* Paris, Nathan Université, 1994 ; Frédéric Lambert, « L'évidence des langages », *Mscope,* n° 5, septembre 1993, pp. 22-27 ; « Roland Barthes et la photo : le pire des signes », *Les Cahiers de la photographie,* n° 2, ACCP, 1990.
3. Isabelle Wertel-Fournier, *L'iconographe dans le labyrinthe des images et des mots : Pour un imagier numérique comme espace cartographié de l'iconothèque,* thèse de doctorat, Villetaneuse, université de Paris VIII, 1999.
4. Ginette Bléry, *La mémoire photographique : étude de la classification des images et analyse de leur contenu,* thèse de troisième cycle, Strasbourg, université Louis-Pasteur, 1976.

– analyse du contenu informatif de l'image ou dénotation,
– analyse de la charge affective de l'image ou connotation.

2.1 Ensemble du point de vue morphologique

Cette approche est avant tout technique et prend en compte également l'intention de l'auteur. La grille d'analyse proposée comprend divers aspects dont certains sont traités lors du catalogage comme le support, le format et la présentation de l'image :

• *Surface sensible* Nature du support (film négatif, film positif, film noir et blanc, film couleur), Format de l'original (carré, rectangulaire, petit ou grand format, Présentation de l'image (verticale ou horizontale, unique, à 3 dimensions, dyptique, montage, surimpression, solarisation)
• *Optique* Téléobjectif, objectif à décentrement (utilisé en photographie d'architecture), fish-eye (objectif à très grand angle de champ pouvant aller de 180° à 210°), microphotographie, endoscopie (objectif miniaturisé placé au bout d'une fibre optique souple, utilisé dans le domaine médical et industriel), prisme, filtres apposés sur l'objectif
• *Temps de pose* Instantané, strobophotographie (technique de décomposition du mouvement), effet de flou, effet de filé
• *Lumière* Photo de jour, photo de nuit, lumière naturelle ou artificielle, Nuit américaine (effet de nuit obtenu en plein jour), contre-jour, éclairage latéral (ombre portée), Éclairage frisant (accentue les matières) Lumière vive, lumière diffuse, éclairage contrasté ou non, Surexposition, sous-exposition, Radiations : X, Gamma, Infrarouge, Ultraviolet,… (utilisé dans le domaine scientifique) Électrons (microscope électronique) Particules (chambre à bulles) photogramme
• *Approche du sujet (cadrage)* Plan ensemble, plan demi-ensemble, plan moyen, plan américain, gros plan, très gros plan, Grossissement, Grossissement de 21 à 2000, Plongée, Contre-plongée, plongée < 30 000 m, Plongée > 30 000 m

2.2 Analyse du contenu informatif de l'image

Afin de décrire de la manière la plus objective possible les situations, objets, personnages ou lieux, la méthode QQOQC – qui ? quoi ? où ? quand ? comment ? (selon la loi de Quintilien) » permet de « cerner sans risque d'omission le contenu informatif de l'image » :

Qui ?	identifier le photographe, les personnes représentées (sexe, âge, profession, nom, fonction), les animaux (race).
Quoi ?	identifier le monde qui nous entoure, ses objets et infrastructures (mer, soleil, falaise, instrument de musique, moulin..).
Où ?	situer géographiquement la prise de vue.
Quand ?	situer dans l'espace et le temps, date de l'événement, époque, saison, datation des objets représentés.
Comment ?	décrire les activités des personnes ou des animaux représentés, leurs attitudes et l'action dans laquelle se situe l'activité.

Exemple : La Saline royale d'Arcs et Senans réalisée par l'architecte Claude Nicolas Ledoux en 1779, en hiver.

2.3 Analyse de la charge affective de l'image

Cette lecture est dépendante de notre perception personnelle face à l'image et fait appel à notre sensibilité. La méthode des couples d'opposition se propose de décrire l'aspect subjectif de l'image.

Abstrait/Sensuel	Beau/Laid	Comique/Tragique
Actif/Passif	Sérieux/Frivole	Décontracté/Angoissé
Ancien/Moderne	Chaud/Frais	Érotique/Froid
Apaisant/Stimulant	Coloré/Terne	Ordonné/Discordant
Artificiel/Naturel	Gai/Triste	

2.4 Le voir et savoir

Isabelle Wertel-Fournier, dès 1982, élabore une méthode d'analyse appliquée dans l'agence Sipa Press[1]. Le processus d'analyse s'appuie sur les principes suivants :

1. « De la collection d'images à la banque d'images : le cas de l'Agence Sipa Press », *Brises*, n° 11, décembre 1987, pp. 57-61.

JE VOIS qui permet d'identifier les éléments présents et leurs différents rôles.
JE SAIS QUE qui correspond aux connaissances « hors cadre », informations contenues dans la légende ou données par le photographe précisant le contexte du reportage.
J'INTERPRÈTE SUR LE PLAN SYMBOLIQUE qui est de l'ordre de la connotation.
Chaque mot clé est associé à une valeur appelée TYPE. Le langage documentaire est constitué par des lexiques regroupant les descripteurs de même « valeur ».

Cinq lexiques indiquent « CE QUE JE VOIS » :

TYPE		Définition
S	=	Sujet/Matière
P	=	Personnalité avec d'autres ou avec des anonymes
PS	=	Personnalité seule
PP	=	Portrait serré d'une personnalité
R	=	Représentation de personnalité, d'animaux, image dans l'image
AP	=	À propos, informations contextuelles hors cadre

Six lexiques indiquent « JE SAIS QUE » :

TYPE		Définition
G	=	Géographique
X	=	Titre d'œuvre : film, émission ; Nom de marque : automobile, arme, fusée, boisson ; Nom propre d'objet
PM	=	Personnalité morale
F	=	Fonction non visualisable
M	=	Manifestation, événement

Un lexique indique les connotations et les expressions :

TYPE		Définition
C	=	Correspondant aux grands archétypes de la culture occidentale

Deux lexiques qualifient les descripteurs précédents :

TYPE		Définition
AT	=	Attitude gestuelle, tenue vestimentaire, expression du visage. Il est associé à une forme verbale
N	=	Nationalité, appartenance à un groupe de type national ou culturel. Il est associé à un descripteur-adjectif

Deux lexiques permettent d'établir le droit d'auteur, PH pour le photographe et DM pour le droit moral, c'est-à-dire la structure propriétaire ou gestionnaire des images.

La difficulté première réside donc dans l'analyse de l'image que réalise la personne chargée de l'indexation qui évolue d'un « univers image » à un « univers texte ».

3. Indexation et langages documentaires

Indexer une image ou un ensemble d'images consiste à les représenter par des termes appartenant à un langage documentaire afin de les retrouver lors de recherches iconographiques.

Le processus d'indexation est défini dans la norme Afnor Z47-102 « Principes généraux pour l'indexation des documents ».

3.1 Principe de l'indexation

Indexer les images nécessite d'avoir défini au préalable la politique d'indexation à l'intérieur du service. Trois niveaux de traitement se pratiquent : image par image, par lots d'images homogènes ou par reportage. Pour Muriel Cluzeau-Ciry, le reportage a « une unité d'auteur, de temps, de lieu, souvent d'action ». La série d'images a « en commun l'illustration d'un thème. Le nombre d'images importe peu et les images peuvent être assez disparates »[1].

3.1.1 Traitement image par image

Cet usage se généralise avec le développement de banques d'images. En revanche, il est systématique dans les collections d'images d'œuvres d'art comme celles des musées (RATP, CNRS, musée des Arts et traditions populaires, Patrimoine photographique, SDIG Mac Corporate pour la médiathèque de Gaz de France, Giraudon photos).

3.1.2 Traitement par reportage ou lots d'images homogènes

Cette pratique, fréquente dans les agences photographiques et les collectivités locales, se complète de plus en plus d'un traitement d'images sélection-

1. Muriel Cluzeau-Ciry, « L'indexation des images », *Archimag* juin 1992, hors série.

nées et numérisées (Agence Sygma, Agence Press Sports, Agence Vu, ministère de l'Équipement). Le regroupement d'images selon un critère homogène, par auteur et par sujet, permet de rendre accessible des images rapidement aux utilisateurs.

3.1.3 La notice d'indexation

La notice descriptive contient des rubriques de catalogage et d'indexation. Celles-ci portent sur le contenu, qu'il soit thématique ou purement formel : nom commun, nom de personne, titre d'œuvre, nom de collectivité, nom géographique, terme technique ou terme de connotation.

Exemple : notice issue de la Base TRACES du Patrimoine Photo (www.patrimoine-photo.fr)

Rubriques LÉGENDE	Contenu de la notice	Commentaires
Cote d'inventaire	RQL 1168 ZZ N R0 15	Cote en 6 parties (code photographe sur les 3 premières consonnes ; n° inventaire ; format codé ; couleur codée ; recadrage codé ; informations complémentaires)
Palier	D	Généré par le système, D = documentation, R = repérage, permet de distinguer les notices minimales des notices complètes
Type de photo	R	Généré par le système, R = référence et A = associée pour les photographies en lien
Photographe (nom ; prénom)	Requillart, Bruno	Généré à partir de la cote
légende	Yougoslavie. Ile de Unije. 1974	Légende du photographe
Cote photographe	68	Cote donnée initialement
Cote contretype		Cote d'un autre support, différent de la cote d'inventaire
Date de prise de vue	01/01/1974	

Rubriques LÉGENDE	Contenu de la notice	Commentaires
Titre de la série	Yougoslavie	Titre donné par le photographe ou par un éditeur à une suite de photographies
Format	24 x 36 mm en bande	Généré par le système, indique le format du support original
Thème général	enfance	Termes issus d'une liste d'autorité en ligne
Nature	SPE	Liste d'autorité : SPE, SPA, SVE…
dégradation	0	Liste codée indiquant le degré de dégradation
Numérisation	O	Code : oui, non
Photographies associées		Saisie des cotes des photographies à associer avec d'autres images. Les types d'association peuvent être : un recadrage, une image de la même série, une proximité stylistique ou thématique
Catalogue		Image sélectionnée dans le catalogue
Thème catalogue		Thème sous lequel l'image est classée
N° image		Numéro dans le catalogue
identification	NNB	Code du type de support
Qualité technique	0	Liste codée indiquant la qualité technique du document original
Sens	H	Liste codée indiquant le sens de l'image, Horizontal, Vertical
Cadre	PM	Liste codée indiquant le cadrage de l'image : PM = plan moyen
Techniques diverses	grain	Liste d'autorité sur l'aspect morphologique de l'image, angle de prise de vue, lumière, optique..

Rubriques LÉGENDE	Contenu de la notice	Commentaires
Lieu	Unije	Thesaurus géographique associé
Candidat lieu		descripteur géographique proposé
Adresse		Précision sur la voirie
Personnalités		Liste d'autorité associée
Noms divers		Liste d'autorité associée
Descripteurs sujets	Petit garçon ; mur ; mer	Thesaurus sujet associé
Candidats descripteurs sujets		descripteur sujet proposé
Connotation	Vitesse ; liberté	Liste d'autorité associée
Candidat connotation		Terme proposé
Éditions		Référence bibliographique d'éditions dans lesquelles l'image a été publiée, Liste ouverte associée
Expositions		Titre des expositions dans lesquelles l'image a été présentée
commentaire		Toute information complémentaire, texte libre

Les outils d'aide à l'indexation sont indispensables. Ils explicitent la politique d'indexation et le choix de l'unité documentaire, illustrations à l'appui. Ils peuvent être de nature différente, soit mode d'emploi dans l'utilisation du langage documentaire, soit manuel de traitement documentaire décrivant chaque rubrique de la notice avec les listes d'autorité associées.

Le service des archives photographiques du ministère de la Culture comme l'association Patrimoine photographique ont ainsi rédigé un guide d'indexation à l'usage du personnel chargé des collections. Trop peu de fonds d'images investissent dans ce type d'outil de travail.

3.2 Les langages d'indexation

Les langages textuels d'indexation d'images sont construits selon le même principe que ceux de l'indexation de textes. La pratique porte sur trois types de langages : le langage libre, le langage contrôlé et le langage classificatoire ou thésaurus.

3.2.1 Le langage libre

C'est une liste de mots constituée à partir de termes attribués lors de l'indexation sans référence à une liste préexistante. Les notions sont représentées par des mots ou des expressions sans aucune relation sémantique.

3.2.2 Le langage contrôlé ou liste d'autorité

Ce type de langage est élaboré *a priori*. En effet la liste des termes est définie, enrichie et contrôlée avec des règles précises. Les mots clés sont ordonnés alphabétiquement. Les banques d'images dans le domaine scientifique ou de l'histoire de l'art comprennent de multiples listes d'autorité.

3.2.3 Le langage classificatoire

La confusion est fréquente entre classement et classification. La classification rassemble intellectuellement les notions en catégories, selon un principe hiérarchique du général au particulier avec de nombreux termes précoordonnés. Elles sont soit encyclopédique comme la Dewey ou la CDU *classification décimale universelle* traditionnellement utilisées en bibliothèque, soit spécialisée par secteur d'activité. Le plan de classement est souvent mis en œuvre dans les fonds de moyenne importance. Il privilégie l'accès direct aux images dans leur rangement physique indiqué par un indice de classification.

Outre la lourdeur de ses termes précoordonnés, son inconvénient majeur est de réduire l'indexation à une seule notion :

> « …Quiconque a pratiqué les classifications connaît les ressources puissantes de l'imagination pour trouver des aménagements dans un cadre de classement un peu étroit […]. On interprète l'image dans le sens du plan de classement. En fait, on force le cadre, on trahit l'image… »

Denis Bruckmann, Jacqueline Samson, *Classement et informatisation du Cabinet des Estampes,* rapport manuscrit, Paris, 1984

En revanche le mode classificatoire se développe sur les intranets d'entreprise pour appréhender plus facilement l'accès à un catalogue informatisé. C'est une des approches que la SDIG-Mac Corporate propose pour l'intranet de la médiathèque de Gaz de France.

ICONCLASS, un système de classification décimale

Cette classification est spécialisée dans la description des œuvres d'arts. Depuis sa première édition en 1961 par le professeur Henri Van de Waal, Iconclass a connu de nombreuses applications pour des collections d'images d'art Actuellement l'université d'Utrecht en assure la maintenance et la publication sur support électronique[1]. Il est utilisé par le Bildarchiv Foto Marburg (htpp ://fotomr.uni-marburg.de) pour le Marburger Index. Le système répertorie alphabétiquement 20 000 motifs. Chaque motif iconographique est codé selon un principe alphanumérique. Les grandes catégories sont :

1 – Religion
2 – Nature
3 – Être humain
4 – Société
5 – Concepts et abstractions
6 - Histoire
7 - Bible
8 - Littérature
9 – Mythologie et histoire ancienne

3.2.4 Le thesaurus, langage combinatoire

Le thesaurus est une liste organisée de termes normalisés servant à l'indexation et à la recherche d'images. Il est construit selon les normes AFNOR Z 47-100, 101 et 103 « ensemble contrôlé de termes descripteurs et non-descripteurs reliés entre eux par des relations sémantiques et qui s'applique de manière exhaustive à un document particulier de la connaissance. Il sert à traduire les notions contenues dans le langage naturel sans ambiguïté ». Il est découpé en champs sémantiques ou domaines. Les relations sémantiques introduites dans le thésaurus sont de trois types : relations hiérarchiques, relations d'équivalence et relations associatives. Ce langage se complète parfois de listes additionnelles, mots outils ou listes techniques. C'est ainsi que le thésaurus de la Radio-Télévision suisse romande, celui de la RATP ou celui des Archives photographiques du ministère de la Culture rassemblent les termes de genre iconographique, de technique photographique ou de période

1. http : //iconclass.let.ruu.nl/

historique dans des listes additionnelles. Dans le secteur de la presse, il est généralement bilingue comme à France 2 ou à l'Agence France Presse. Cette dernière introduit la description technique de la photographie dans son thésaurus comprenant 41 champs. Depuis 2001, le logiciel FulThes-Web de la société Pertinence technologie[1] gère le thésaurus en ligne sur l'intranet.

• *Thésaurus iconographique : système descriptif des représentations*

Ce thésaurus, réalisé en 1984 à la demande du ministère de la Culture, est destiné à « l'analyse iconographique de toutes les représentations, quelque que soient la nature de leur support, la technique de leur exécution, leur qualité et leur finalité ». Il concerne tout type de représentation : peinture, dessin, sculpture, architecture et objets mobiliers. Il est essentiellement utilisé par la direction des Musées de France[2]. La syntaxe élaborée permet d'évoquer le cycle narratif de la représentation. Le thésaurus comprend 15 catégories thématiques et 8 catégories sujets :

1 Genre iconographique
2 La Nature
3 Le corps et la vie matérielle
4 Vie psychologique et morale
5 Société et vie sociale
6 Vie publique
7 Vie militaire
8 Agriculture
9 Artisanat et industrie, commerce et services
10 Transport et communication
11 Vie intellectuelle
12 Arts et spectacles
13 Vie religieuse
14 Être imaginaire
15 Ornement
16 Sujet géographique
17 Sujet biblique
18 Sujet mythologique
19 Personnage historique
20 Nom de groupe
21 Courant de pensée identifié
22 Périodisation
23 Personnage imaginaire

• *Ethnophoto : Thésaurus pour l'analyse de la photographie ethnographique du domaine français*

Ce Thésaurus réalisé en 1977 est édité en 1997. Il est destiné à « permettre d'appréhender des objets, activités ou situations liées à l'étude de l'ethnologie ». Y sont présents des termes concrets (pichet, statue, métier…) et des notions abstraites pour évoquer des situations ou des attitudes (deuil, psychologie, histoire…). Il concerne le fonds photographique et les cartes

1. www.pertinence-technologie.fr
2. François Garnier, *Thésaurus iconographique : système descriptif des représentations*, Paris, Le Léopard d'or, 1984.

postales du musée national des Arts et Traditions populaires[1]. Le thésaurus comprend 10 000 termes répartis en 40 chapitres. Une série de mots outils le complète (remarquable, utilisation, photo-portrait…). Deux rubriques sont renseignées à l'indexation : Typologie et Description.

Typologie désigne le type de document à l'origine de l'image (estampe, peinture, dessin…) et, pour une scène ou un objet, le sujet principal. Description désigne les éléments secondaires de la représentation. Ainsi, l'indexation d'une image d'un paludier attirant le sel avec son las à Guérande se décompose comme suit :
– Typologie : Paludier.
– Description : Salines ; costume d'homme ; chapeau ; outillage spécialisé ; utilisation ; sel.

4. Les vocabulaires employés

Compléments au langage d'indexation ou listes d'autorité autonomes, plusieurs vocabulaires se juxtaposent dans les fonds d'images dont voici une illustration.

4.1 Les genres

La notion de « genre » a évolué autant que son usage. Les genres résultent historiquement d'un souci de codifier les représentations des arts plastiques[2]. Leur utilisation en tant que mode de classification fixé au XVIIe siècle est très liée au développement des arts traditionnels et de la photographie autant qu'au changement de perception du « genre » lui-même. Des réalisations comme celles de la mission photographique de la DATAR[3] ont fait émerger des termes comme « paysages urbains » ou « paysages industriels ».

1. Philippe Richard, Brigitte Lozza, *Ethnophoto : Thésaurus pour l'analyse de la photographie ethnographique du domaine français*, Paris, Éditions de la MSH, 1997.
2. Laurent Gervereau, *Voir, comprendre, analyser les images*, Paris, La Découverte, 2000.
3. *Paysages photographies : la mission photographique de la DATAR*, Paris, Hazan, 1985.

Citons Philippe Arbaïzar (*La Confusion des genres en photographie*, Paris, Bibliothèque nationale de France, 2001, p. 74) :

> « On ne peut plus parler de genre au sens strict. Ces catégories ne sont plus que des instruments commodes qui permettent une identification mais qui sont toujours discutables, parfois arbitraires : photographie d'architecture ou paysage, portrait ou nu, publicité ou nature morte. »

et également :

> « …le genre peut être l'index d'un catalogue à la rigueur, mais il ne joue plus comme catégorie esthétique. »

La constitution de telles listes varie selon la collection, la thématique, voire la sensibilité artistique des responsables de fonds d'images. La Bibliothèque nationale de France a élaboré des listes pour le traitement des documents iconographiques. Elles sont à deux niveaux, général et précis. Elles ont été élaborées dès 1989 à l'aide des langages du Prints and Photograph Department du Congrès, du Victoria and albert Museum et du thesaurus iconographique de François Garnier.

Genre général

Allégorie
Art abstrait
Composition
Costume
Dessin
Emblématique
Érotisme
Études et recherches
Figure
Humour
Nature morte
Monnaies et médailles
Ornementation
Nu
Parodie
Paysage
Peinture
Portrait
Représentation animalière
Représentation d'objets
Représentation héraldique
Représentation scientifique
Représentation végétale
Satire
Scène
Sculpture
Situation
Symbolisme
Textes
Vues d'architecture
Vues d'intérieur

4.2 Listes spécifiques

Les fonds d'images constituent des listes de termes appliqués à l'image fixe qui sont, soit gérées en listes additives complémentaires d'un thesaurus existant, soit gérées en listes d'autorité. Voici les listes récurrentes, identifiées au fil de lecture de textes et de thesaurii et fréquemment appliquées dans les fonds d'images.

4.2.1 Listes relatives à la forme

Elles sont parfois rassemblées en une seule entité fréquemment nommée « technique », « terme morphologique », « forme » ou regroupées par grande catégorie. Sous le vocable « effets spéciaux » se retrouvent souvent les termes relatifs à l'optique, au temps de pose et à des procédés de traitement d'image.

Certains termes, traditionnellement codés, notamment ceux issus du cinéma, sont mentionnés en clair avec leur code associé.

- *Point de vue (angle de prise de vue et position du sujet)*

PL	Plongée
CP	Contre-plongée
VA	Vue aérienne (verticale ou oblique) cf. la photothèque de l'IGN
Vue de dos	
Vue de face	utilisé pour les êtres vivants et les objets
Vue panoramique	peut aller de 100 à 360°
Vue de profil	
Vue frontale	utilisé pour l'architecture et la sculpture
Vue sous-marine	
Vue spatiale	(satellite) cf. la photothèque du CNES
Vue de trois-quarts	(avant, arrière) utilisé pour des objets, notamment dans la mode et la publicité, cf. les photothèques dans le secteur automobile

- *Cadrage (échelle de plan)*

PG	plan général (situe l'action)
PE	plan d'ensemble
PM	plan moyen (en pied)
PA	plan américain (mi-cuisses, fait référence au western)
PT	plan taille (buste)
PR	plan rapproché
GP	gros plan
TGP	très gros plan
Vue de détail	
Plan serré	

- *Lumière*

Contre-jour	Ombre portée
Contraste	Photographie de nuit
Effet de lumière	Rayons X
Filtre	Reflet

Infrarouge
Lumière frisante
Lumière vive
Nuit américaine
Surexposition
Sous-exposition

• *Optique*

Fish-eye
Grand angle
Microphotographie
Macrophotographie
Endoscopie
Téléobjectif

• *Temps de pose*

Instantané
Stroboscopie
Flou
Filé

• *Traitement de l'image*

Colorisation
Distorsion
Photogramme
Stéréoscopie
Image de synthèse
Solarisation
Superposition
Surimpression

4.2.2 Les autres listes

Des listes complémentaires se constituent empiriquement à partir des pratiques de recherche d'images.

• *Environnement*

Cette notion recouvre aussi bien la situation, l'ambiance ou la saison. S'y trouvent rassemblés des termes comme été, hiver, automne, printemps, nuit, extérieur, intérieur, neige, etc.

• *Catégorie (appelée également typologie)*

Les collectivités locales se créent des listes caractérisant les différents contextes dans lesquels les reportages sont réalisés :

Ambiance
Animation
Centenaire
Cérémonie militaire
Constat
Déjeuner
Délégation
Départ en retraite
Portrait
Pose de la première pierre
Repas
Réunion

Chantier	Exposition	Réunion publique
Colloque	Festival	Salon
Conférence de presse	Inauguration	Vin d'honneur
Congrès	Manifestation	Visite
		Vœux

• *Image et Science*

Monique Sicard, dans son ouvrage *Images d'un autre monde : photographie scientifique*[1], retrace l'irruption de la photographie et de l'imagerie dans la science. Elle s'applique à plusieurs domaines : astronomie, zoologie, médecine, cristallographie, hydrographie, géographie, botanique, géologie.

Une liste de termes est proposée dans l'ouvrage *Thesaurus de l'image* édité par le groupe sectoriel ADBS en 1994.

• *Connotation*

Ce type de liste portant sur des notions subjectives s'emploie dans le secteur de la publicité, de l'art et parfois pour des fonds encyclopédiques. Voici un extrait issu d'un fonds publicitaire :

Attente	Luxe
Autorité	Opulence
Chaleur	Peur
Confort	Solitude
Fraîcheur	Stress
Humour	Tristesse
Isolement	…

Si la description et l'indexation des images nécessitent encore l'usage des « mots », des outils d'analyse automatique de l'image se sont développés depuis une dizaine d'années ouvrant de nouvelles pistes. Ces systèmes s'appuient sur la recherche d'images par le traitement de leur similarité en utilisant des attributs tels que la couleur, les contours et la texture. Ainsi à chaque image ou classe d'images correspond un ensemble d'attributs appelé signature :

– Le logiciel Excalibur Visual Retrieval Ware de la société Excalibur technologies : www.excalib.com/products/vrw/vrw.html

1. Monique Sicard, *Images d'un autre monde : photographie scientifique*, Paris, CNP, CNRS, 1991, collection photopoche.

– Le logiciel VIR Virage Image Engine de la société Virage Inc. : www.virage.com/products/vir-irw.html
– Le logiciel QBIC Query by Image Content de la société IBM : www.qbic.almaden.ibm.com/stage/index.html. Ce dernier est utilisé par le site web du musée de l'Hermitage de Saint-Pétesbourg.
– Le logiciel Surfimage de l'Inria. Ses fonctionnalités ont été étendues dans des axes différents :
  - Chahab Nastar, chercheur, à l'origine de Surfimage, a depuis 1999, intégré la description sémantique des images et leur transcription en XML dans le cadre de son entreprise : www.ltutech.com,
  - le logiciel prototype Ikona sous la direction de Nozha Boujemaa à l'Inria qui développe également la reconnaissance d'objets : www-rocq.inria.fr/imedia/ikona/index.html.

Des tests sur des corpus photographiques hétérogènes se développent afin d'évaluer les perspectives réelles offertes par ces nouveaux outils.

6

EXPLOITATION-VALORISATION

Étapes finales du traitement d'un fonds d'images, la mise en diffusion est soumise à une contrainte majeure : maîtriser les droits d'auteur. Aussi avant de mettre en place une politique d'exploitation et de valorisation, voyons le cadre juridique appliqué aux images.

1. L'IMAGE ET LA LOI

La prise de vue et la communication de photographies sont réglementées par trois catégories de lois sur le plan national et par la convention de Berne sur le plan international :
– Le droit d'auteur, le droit des logiciels et les droits voisins : CPI (Code de la Propriété Intellectuelle) du 1er juillet 1992 dans les livres I et II, complété par les lois du 29 octobre 1993, du 31 janvier 1995 et du 27 mars 1997 transposant les directives du Conseil des Communautés européennes et du Parlement européen notamment pour l'harmonisation de la durée de protection.
– La garantie des droits individuels des citoyens c'est-à-dire la préservation du droit à la vie privée et le droit à l'image : loi du 17 juillet 1970.
– La liberté d'information traitée dans les lois sur la liberté de la presse du 29 juillet 1881, sur la liberté de communication du 30 septembre 1986, et sur le renforcement de la protection de la présomption d'innocence et des droits des victimes, communément appelé « loi Guigou » du 15 juin 2000.

1.1 Code de la propriété intellectuelle (1992)[1]

Auparavant les œuvres étaient protégées par la loi du 11 mars 1957 complétée par celle du 3 juillet 1985 sur les droits voisins. Depuis le 1er juillet 1992, le droit d'auteur est régi par le code de la propriété intellectuelle qui com-

1. Le code est présent ou commenté sur plusieurs sites : www.legifrance.gouv.fr ; www.scam.fr ; www.educnet.education.fr, www. Legalis.net

prend deux parties, la première relative à la propriété littéraire et artistique et la seconde à la propriété industrielle, c'est-à-dire les dessins, modèles, marques et brevets d'invention. Parmi les titulaires concernés dans la propriété littéraire, citons les écrivains, créateurs de logiciels, dessinateurs, peintres, sculpteurs, photographes.

1.1.1 Objet du droit d'auteur

• *Protection des œuvres*

En droit français pour qu'une œuvre soit protégée, elle doit être formulée et être originale. « L'œuvre est réputée créée, indépendamment de toute divulgation publique du seul fait de la réalisation, même inachevée, de la conception de l'auteur » (art. L 111-2) et la protection est effective sans qu'aucune formalité de dépôt, d'enregistrement et de divulgation ne soit nécessaire (art. L 111-1 et 2).

Ainsi, le 13 décembre 2000[1], le Tribunal de Grande Instance de Nanterre a demandé à l'agence Gamma de restituer au photographe Francis Apersteguy ses images conformément à l'article 111-1 bien que ce dernier ait quitté l'agence. Cette jurisprudence est importante dans un contexte où les groupes de presse renégocient les droits pour les exploiter sur les médias électroniques.

Quelles sont les œuvres protégées ?

« Toutes les œuvres de l'esprit, quels qu'en soient le genre, la forme d'expression, le mérite ou la destination » (art. L 112-1). Énumérées à l'article L 112-2, elles peuvent se classer en trois catégories : littéraires, musicales et artistiques. Les œuvres artistiques recouvrent une vaste catégorie d'œuvres notamment les œuvres graphiques et plastiques, les photographies, les arts appliqués, les œuvres d'architecture ainsi que les œuvres radiophoniques et audiovisuelles.

• *Titularité du droit d'auteur*

L'auteur d'une œuvre est celui qui la réalise et la divulgue. « la qualité d'auteur appartient, sauf preuve contraire, à celui ou à ceux sous le nom de

1. « Une décision consacre le droit patrimonial des photographes », Michel Guerrin, *Le Monde*, 16 décembre 2000.

qui l'œuvre est divulguée » (art. L 113-1). Seule une personne physique peut être détentrice du droit d'auteur à l'exception des œuvres collectives. Trois catégories d'œuvres font appel à plusieurs auteurs : l'œuvre de collaboration, l'œuvre composite et l'œuvre collective.

a) L'œuvre de collaboration

« Est dite de collaboration l'œuvre à la création de laquelle ont concouru plusieurs personnes physiques… » (art. L 113-2) en même temps et dans le même but. Ce cas se rencontre rarement en photographie mais se développe en multimédia. Citons toutefois Nadar père et fils ; Despatin et Gobeli ; Pierre et Gilles. L'œuvre est ici la propriété commune des auteurs et l'accord de tous est nécessaire pour pouvoir l'exploiter.

b) L'œuvre composite

« Est dite composite l'œuvre nouvelle à laquelle est incorporée une œuvre préexistante sans la collaboration de l'auteur de cette dernière… » (art. L 113-2). Par exemple un ouvrage illustré de photographies ou un cédérom incorporant une œuvre d'art plastique. Cette nouvelle œuvre appartient à celui qui l'a réalisée sous réserve du respect du droit moral et des droits patrimoniaux de l'auteur de l'œuvre préexistante.

c) L'œuvre collective

« Est dite collective l'œuvre créée sur l'initiative d'une personne physique ou morale qui l'édite, la publie et la divulgue sous sa direction et son nom et dans laquelle la contribution personnelle des auteurs… se fond dans l'ensemble… ». (art. L 113-2). « Cette personne est investie des droits d'auteurs » (art. L 113-5), par exemple l'édition d'un guide, d'une encyclopédie ou d'un dictionnaire.

d) Cas des œuvres pseudonymes et anonymes

Une œuvre peut également être anonyme ou signée d'un pseudonyme. Leurs auteurs sont représentés par l'éditeur tant qu'ils n'ont pas fait connaître leur identité civile.

1.1.2 Droits des auteurs

Le droit d'auteur comporte des attributs d'ordre moral et des attributs d'ordre patrimonial.

• *Le droit moral*
« Il est attaché à la personne. Il est perpétuel, inaliénable et imperscriptible. Il est transmissible à cause de mort aux héritiers de l'auteur… » (art. L 121-1). Il recouvre plusieurs attributs.

a) Le droit au respect et à la qualité de l'auteur

Pour un photographe ou un dessinateur, c'est la mention correcte, exacte et complète de son nom ou de son studio le cas échéant sur toute reproduction ou représentation de son œuvre[1]. L'agence chargée de la diffusion des images d'un photographe ne peut pas juridiquement obliger ce dernier à faire précéder son nom de celui de l'agence.

b) Droit au respect de l'intégrité de l'œuvre

L'auteur veille à ce que son œuvre soit représentée ou reproduite intégralement sans recadrage ou coupure. Toute suppression, modification ou adjonction est interdite. L'œuvre ne doit pas être altérée dans son esprit en la présentant dans un contexte qui la dénigrerait. Le photographe Henri Cartier-Bresson exige que ses images soient diffusées accompagnées d'un texte rappelant l'interdiction stricte du moindre recadrage.

c) Droit de divulgation

L'auteur a seul le droit de décider de mettre son œuvre à la disposition du public et de choisir les modes de divulgation. (art. L 121-2). Ainsi l'auteur peut accepter l'exposition publique de son œuvre mais refuser sa reproduction en cartes postales.

d) Droit de retrait et de repentir

« Nonobstant la cession de son droit d'exploitation, l'auteur, même postérieurement à la publication de son œuvre, jouit d'un droit de repentir ou de retrait vis-à-vis du cessionnaire » (art. L 121-4).

• *Les droits patrimoniaux*
Ce droit permet à l'auteur de tirer profit de l'exploitation de son œuvre. Il recouvre le droit de représentation et le droit de reproduction.

---

1. *Code des usages en matière d'illustration photographique*, Syndicat national de l'édition, 1995.

a) Droit de reproduction

« La reproduction consiste dans la fixation matérielle de l'œuvre par tous procédés qui permettent de la communiquer au public d'une manière indirecte. Elle peut s'effectuer notamment par imprimerie, dessin, gravure, photographie » (art. L 122-3), mais également par report sur un support numérisé tel le cédérom ou le serveur informatique. Il en est de même pour le déchargement du document consulté sur papier ou disquette. La numérisation d'un document (ekta, gravure, …) est assimilée à une reproduction[1].

b) Droit de représentation

« La représentation consiste dans la communication de l'œuvre au public par un procédé quelconque… » (art. L 122-2) notamment par l'exposition publique, l'intégration dans une œuvre audiovisuelle, la mise à disposition sur un site internet ou la consultation sur des postes de lecture en bibliothèque. La communication est faite avec ou sans support physique.

Droit de suite : ce droit est réservé aux auteurs d'œuvres d'art graphique ou plastique. C'est le droit de percevoir 3 % du prix de vente de leur œuvre faite aux enchères publiques ou par un commerçant. (art. L 122-8).

c) Les exceptions

« Toute représentation ou reproduction est soumise à l'autorisation de l'auteur ou de ses ayants droit, autorisation assortie généralement d'une compensation financière » (art. L 122-4). Toutefois, quelques exceptions dérogent à l'obligation de demande d'autorisation :

« – les représentations privées et gratuites effectuées exclusivement dans le cercle de famille,

– les copies ou reproductions strictement réservées à l'usage privé du copiste et non destinées à une utilisation collective… » (art. L 122-5).

1. « Le tribunal de grande instance de Paris a, par ordonnance de référé du 5 mai 1997, retenu la qualification de contrefaçon concernant des poèmes protégés par le droit d'auteur diffusés sur un site internet…. » Il s'agissait en l'espèce « de poèmes de Raymond Queneau que Christian L. a numérisés et reproduit sur sa page Web, hébergée sur le site Mygale, sans avoir obtenu l'autorisation préalable des Éditions Gallimard, cessionnaires des droits de reproduction et de représentation de l'œuvre, et en violation des droits moraux et patrimoniaux appartenant à Jean-Marie Queneau, fils de Raymond Queneau » in : www. Legalis.net.

Pour compenser le préjudice subi du fait de la copie privée, il a été institué une rémunération forfaitaire versée par les importateurs et fabricants de supports d'enregistrements pour les copies privées sonores ou audiovisuelles. Pour certains organismes utilisant massivement la photocopie comme les universités, des accords ont été conclus avec le CFC (Centre français pour l'exploitation du droit de copie) habilité à gérer, pour les éditeurs et les auteurs, le droit de reprographie (loi 95-4 du 3 janvier 1995).
« -les analyses et courtes citations justifiées par le caractère critique, [...] pédagogique, scientifique ou d'information [...]. Actuellement la question de l'élargissement de la courte citation en matière audiovisuelle, plastique et musicale est très discutée[1].
-Les retransmissions par voie de presse ou de télédiffusion à titre d'information, d'actualité [...] » (art. L 122-5).

La diffusion d'images dans le cadre d'une campagne de presse ou insérées dans un dossier de presse ne relève pas de l'exception.

d) Durée de protection légale

Les œuvres sont protégées pendant la vie de l'auteur et 70 ans après sa mort à compter du 1er janvier de l'année civile qui suit la mort de l'auteur. Pour les œuvres de collaboration, l'année civile prise en considération est celle de la mort du dernier vivant des collaborateurs. Pour les œuvres collectives ou pseudonymes, la durée du droit exclusif est de 70 ans à compter du 1er janvier de l'année civile suivant celle de la première publication. L'application des prorogations de guerre dans le cadre de cette nouvelle durée de protection pose un problème d'interprétation juridique. La question n'étant pas tranchée, il est plus prudent de se baser sur une hypothèse favorable aux auteurs.

e) Cession des droits patrimoniaux

La cession par l'auteur des droits sur son œuvre peut être totale ou partielle. La cession totale est souvent liée à une commande de reportage photographique ou à l'achat de photographies à l'unité pour l'enrichissement d'une photothèque (cf. édition et gestion d'images). Le photographe cède son droit de représentation ou de reproduction ou les deux au commanditaire

1. *Dossiers de l'audiovisuel,* n° 88, pp. 16-18.

qui peut les exercer dans les limites d'exploitation prévues au contrat. Pour être valable, « chacun des droits cédés doit faire l'objet d'une mention distincte, et le domaine d'exploitation des droits doit être délimité quant à son étendue et à sa destination, quant au lieu et quant à la durée... » (cf. art. L 131-3). La cession partielle est pour un usage précis dans une limite de temps. Elle se formalise par la rédaction d'un bordereau-contrat précisant l'utilisation (représentation ou reproduction), l'étendue géographique (France, Europe, monde), le tirage de l'édition, le format, l'emplacement et la durée d'utilisation des images dans la publication.

f) Gestion des droits d'auteur

La gestion des droits est individuelle ou collective. Souvent elle est réalisée par l'intermédiaire d'une agence, d'une galerie ou d'une société d'auteurs. Une société de gestion collective des droits gère les droits des auteurs à leur demande et renseigne les utilisateurs en recherche d'identification d'ayants droit. En France, il existe des sociétés de gestion en fonction de la nature de l'œuvre (artistique, plastique, graphique ou littéraire), et de la catégorie d'ayant droit (auteur, artiste, éditeur, producteur ou interprète). Il n'existe pas de société d'auteurs réservée aux photographes. Ces derniers sont représentés par des sociétés d'auteurs gérant les arts graphiques :

– L'ADAGP est la société des auteurs d'arts graphiques et plastiques ; elle comprend 20 000 adhérents : peintres, illustrateurs, sculpteurs, etc.
– La SAIF est la société des auteurs des arts visuels et de l'image fixe créée en 1999. Elle intervient dans le domaine de la copie numérique et audiovisuelle, la photocopie, la diffusion télévisuelle et sur réseau.
– La SCAM est la société civile des auteurs multimédia qui rassemble 14 000 adhérents : écrivains, réalisateurs, photographes, auteurs multimédia.
– SESAM est une société qui regroupe 5 sociétés d'auteurs dont l'ADAGP et la SCAM. Elle a été créée pour la gestion des œuvres multimédias, offrant un « guichet unique » pour l'obtention des droits appartenant à des répertoires différents (cf. adresses, p. 124).

Remarque : les droits d'auteur sur la toile

La difficulté matérielle de faire respecter le droit d'auteur sur internet est telle que les auteurs et les diffuseurs protègent les œuvres en amont par les moyens techniques. La protection des droits passe actuellement par des mécanismes de contrôle soit par un accès de type code client, soit par un marquage filigrane (*watermarking*) ou un tatouage ou encore en proposant les images en basse résolution. Le marquage « métadonnées » est appelé à se développer. Les éléments inscrits dans les fichiers permettent d'identifier le détenteur de l'image et constituent ainsi une preuve de leur réutilisation [indue].

1.2 Droit des tiers : vie privée et droit à l'image

Le droit des tiers recouvre le droit de la personne photographiée, le droit du propriétaire du bien photographié et le droit de l'auteur de l'œuvre photographiée.

1.2.1 Droit de la personne photographiée

Des dispositions pour les protections des personnes sont, soit issues du code civil, soit issues du code pénal. « Chacun a droit au respect de sa vie privée… » (cf. art. 9 du code civil).

• *Prise de vue dans les lieux privés*

Photographier une personne dans un lieu privé nécessite tout d'abord son consentement pour la prise de vue elle-même complétée de son accord lors de l'exploitation de l'image. L'autorisation écrite est nécessaire y compris pour les modèles[1]. En absence d'autorisation, des poursuites pénales et une condamnation à des dommages et intérêts peuvent être infligées (cf. art. 226 du code pénal). Toutefois, si la photographie est prise « au cours d'une réunion au vu et au su de ses participants, le consentement de ceux-ci sera présumé » (cf. art. 368 de la loi de 1970).

1. Affaire du Baiser de l'Hôtel de Ville de Robert Doisneau où les époux Lavergne furent déboutés en juin 1999.

Principes

- Ne pas diffuser d'images susceptibles de porter atteinte à l'intimité de la vie privée.
- Ne pas diffuser toute photographie pouvant nuire à une personne.
- Toute prise de vue et toute diffusion de l'image d'une personne doivent être soumises à l'autorisation de cette personne [y compris pour les figurants ou mannequins].
- Si la personne est mineure, l'autorisation doit être requise auprès des parents ou de son tuteur.
- Toute photothèque ou publication amenée à diffuser la photographie d'une personne a le devoir de se renseigner pour savoir si l'utilisation envisagée est autorisée (soit auprès du photographe soit auprès de l'agence).

Modèle de bordereau d'autorisation de prises de vues et d'exploitation

Je, soussigné(e), demeurant..., autorise, ...photographe à réaliser les prises de vue dans lesquelles apparaît mon image.

Ces photographies seront diffusées et exploitées par

pour les utilisations suivantes :

Cette autorisation est valable :
Pour une durée de mois ou années reconductible pour des périodes d'égale durée. Les légendes accompagnant la reproduction ou la représentation de la (ou des) photographies ne devront pas porter atteinte à ma réputation ou à ma vie privée.

Pour Faire valoir et service ce que de droit
Fait à, le
Le photographe La personne photographiée

Faire précéder la signature de la mention « lu et approuvé »

• *Prises de vue dans les lieux publics*

La diffusion par la presse d'images prises dans les circonstances suivantes est possible :

– images des manifestations publiques ou réunions,
– images d'une personne n'ayant pas un caractère de personnalité publique, à condition qu'elle ne soit pas le sujet principal de la prise de vue,
– images d'une personnalité publique (personnalités politiques, artistes,…) prise dans l'exercice de sa fonction, par exemple une star de cinéma au festival de Cannes.

Préconisations

- Privilégier la foule.
- Faire des plans d'ensemble en ne mettant aucune personne en valeur.
- Faire attention à ce que les personnes ne soient pas reconnaissables (3/4 de dos, attention aux tatouages !).
- Pour les manifestations de rue, ne pas prendre les personnes spectateurs.

En cas de conflit, c'est le juge qui est chargé d'apprécier le caractère légitime de l'information publiée et de veiller au respect de la dignité de la personne[1].

1.2.2 Droit du propriétaire du bien photographié

Ce droit ne se rattache plus au droit des personnes mais au droit de la propriété.

« La propriété est le droit de jouir et de disposer des choses de la manière la plus absolue, pourvue qu'on n'en fasse pas un usage prohibé par les lois ou par les règlements » (cf. art. 544 du code civil). Les attributs du droit de propriété sont constitués par l'*usus,* l'*abusus* et le *fructus*, c'est-à-dire le droit d'user de ce bien, le droit d'en disposer, le vendre par exemple, et le droit d'en percevoir les fruits et les produits comme le loyer, les revenus et l'exploitation de son image.

Une jurisprudence du tribunal de grande instance de Bordeaux du 19 avril 1999 précise en faisant référence à l'art. 9 du code civil : « Le droit du propriétaire met obstacle à ce qu'un tiers capte et reproduise l'image de son bien, qu'il soit meuble ou immeuble, sans une autorisation, le droit à l'image étant un attribut de la propriété ».

Pour être applicable, ce droit doit porter sur des photographies dont le sujet principal est l'objet lui-même et non lorsque celui-ci n'est qu'un élément d'une vue générale.

On constate une dérive actuellement car la loi du 17 juillet 1970 était destinée à protéger la vie privée alors qu'aujourd'hui les propriétaires ne peuvent faire référence à une atteinte à la vie privée mais à une atteinte au droit de la propriété.

1. Couverture du *Nouvel Observateur* au sujet de l'attentat dans le RER à Saint-Michel : « Terrorisme : comment la guerre est venue en France », septembre 1996.

• *Exemple*
La propriétaire d'une petite maison isolée sur la côte bretonne, dans les environs de Triguier, intente un procès pour atteinte à la vie privée au comité régional de tourisme de Bretagne et à son agence de publicité CLM-BBDO. La cour d'Appel de Paris les condamne le 12 avril 1995 à payer des dommages et intérêts. La Cour de Cassation remet en cause cet appel, et le casse le 2 mai 2001 arguant du motif que n'a pas été précisé « en quoi l'exploitation de la photographie portait un trouble certain au droit d'usage ou de jouissance du propriétaire ».

• *Comment se prémunir dans le contexte actuel ?*
En demandant une autorisation au propriétaire sur le même principe que celui concernant le droit de la personne à son image et précisant les conditions d'utilisation.

1.2.3 Droit de l'auteur de l'œuvre photographiée
Ce droit se rattache au droit d'auteur. Les œuvres de l'esprit protégées au titre de l'article L 112-2 du code de la propriété intellectuelle sont mentionnées : « les œuvres de dessin, de peinture, d'architecture, de sculpture [...], les œuvres des arts appliqués [...], les créations des industries saisonnières de l'habillement et de la parure... ».

Ainsi conformément à l'article 335-3 « est considérée comme un délit de contrefaçon toute reproduction, représentation ou diffusion, par quelque moyen que ce soit, d'une œuvre de l'esprit en violation des droits d'auteur, tels qu'ils sont définis et réglementés par la loi ». Comme le photographe, le sculpteur, le peintre ou l'architecte sont protégés par la loi sur le droit d'auteur. Si l'œuvre n'est pas tombée dans le domaine public et si elle constitue l'objet principal de la photographie, il est obligatoire d'avoir l'autorisation de l'artiste ou de son ayant droit sous peine d'être poursuivi pour reproduction illicite.

• *Quelques exemples*

a) Architecture[1]

La jurisprudence récente relance le débat en déboutant Daniel Buren et Christian Drevet : en effet, l'architecte Daniel Buren qui a aménagé le sol de la place des Terreaux à Lyon et Christian Drevet qui en a assuré la mise en lumière assignent en 1996 quatre éditeurs de cartes postales. Le tribunal de grande instance de Lyon les déboute le 4 avril 2001 : « L'intrication entre patrimoine historique et aménagement moderne est telle qu'elle interdit en pratique de distinguer les deux éléments »[2].

b) Personnages de fiction

Les créateurs de Tom Raider, Indiana Jones ou Astérix détiennent un droit d'auteur sur le nom du personnage : ils sont propriétaires du dessin. L'accord préalable est nécessaire pour toute reproduction des photographies représentant ces personnages.

c) Marque

Attention ! la marque ne relève pas du droit de la propriété littéraire et artistique mais de la propriété industrielle. Pour reproduire un nom ou un logo déposé qui constitue la marque d'un produit ou d'un service, l'autorisation est à demander au titulaire de la marque. Une précaution particulière est nécessaire car parfois le personnage est aussi déposé au titre de la marque. L'identité du propriétaire de la marque s'obtient à partir des registres de l'INPI (Institut national de la propriété industrielle). La marque est protégée pour 10 ans indéfiniment renouvelables, ce qui est le cas du café de Flore qui l'a déposée.

d) Objet industriel

Le droit des dessins et modèle (cf. art. L 511-3 du CPI) protège les objets industriels. Pour reproduire l'image d'un objet industriel déposé, la demande d'autorisation est à adresser au responsable du dépôt, lequel est identifiable auprès de l'INPI. La durée de protection est de 25 ans à compter

1. « Pour les photographes, la rue n'est plus libre de droits », *Le Monde*, 27 mars 1999, Michel Guerrin, Emmanuel de Roux.
2. « Daniel Buren perd son procès contre les éditeurs de cartes postales », *Le Monde*, 7 avril 2001, Michel Guerrin.

du dépôt et peut être prorogée de 25 ans supplémentaires sur simple demande du titulaire.

1.3 La liberté d'information

Elle repose sur trois lois[1] : la loi sur la liberté de la presse du 29 juillet 1881, la loi sur la liberté de la communication du 30 septembre 1986 et la loi du 15 juin 2000 renforçant la protection de la présomption d'innocence et les droits des victimes.

1.3.1 Loi sur la liberté de la presse

L'article premier rappelle la liberté de l'imprimerie et de la presse. Le chapitre IV de la loi précise dans les articles 23 à 41 « Des crimes et délits commis par la voie de la presse ou par tout autre moyen de publication ». La reproduction de l'image du crime ou du délit est interdite, que ce soit « provocation aux crimes et délits [...], délits contre la chose publique ou délits contre les personnes ».

Ainsi, il est interdit de faire des prises de vue :
- pendant le cours des débats et à l'intérieur des salles d'audience des tribunaux (art. 38 *ter*),
- concernant un mineur (art. 39 *bis*),
- sur les circonstances d'attentat contre les personnes (meurtre, assassinat, parricide, atteinte aux mœurs...).

1.3.2 Loi sur la liberté de communication

La communication audiovisuelle est libre.

« L'exercice de cette liberté ne peut être limité [...] que par le respect de la dignité de la personne humaine, de la liberté et de la propriété d'autrui, du caractère pluraliste de l'expression des courants de pensée et d'opinion [...]. Le Conseil supérieur de l'audiovisuel, autorité indépendante, garantie l'exercice de cette liberté dans les conditions définies par la présente loi... ».

1. www.justice.gouv.fr ; www.legifrance.gouv.fr

1.3.3 Loi renforçant la protection de la présomption d'innocence et des droits des victimes

Deux affaires, l'une en 1996, l'autre en 1998, conduisent le garde des Sceaux de l'époque, Élisabeth Guigou, à élaborer un projet de loi visant à interdire la publication de photographies d'individus menottés au nom de la présomption d'innocence ainsi que des victimes d'attentats. Cette loi prend appui sur l'article 11 de la Déclaration Universelle des droits de l'Homme de 1948.

Le débat entre droit à l'image et droit à l'information est relancé. La presse rend largement compte des interrogations que cette loi suscite[1]. La loi porte sur :

– l'interdiction de diffuser l'image d'une personne identifiée ou identifiable mise en cause à l'occasion d'une procédure pénale et n'ayant pas encore fait l'objet d'un jugement de condamnation, faisant apparaître que cette personne porte des menottes ou des entraves ;
– l'interdiction de reproduire les circonstances d'un crime ou d'un délit lorsque cette reproduction porte atteinte à la dignité de la victime.

• *Exemples*

a) Daniel Forté au palais de justice de Grenoble le 12 février 1998

La photographie de Daniel Forté, guide de montagne des Orres, arrivant menotté au palais de justice de Grenoble avait suscité une forte émotion. Le guide avait été mis en détention provisoire après une avalanche le 23 janvier 1998 au cours de laquelle onze personnes avaient été tuées. Aucun fait ne semblait justifier une quelconque dangerosité nécessitant de telles précautions.

b) Victimes de l'attentat dans le RER Saint-Michel le 10 septembre 1996

Deux plaignantes ayant engagé un procès au journal *Paris Match* pour avoir publié des photographies les représentant les vêtements déchirés après l'attentat, ont été l'une et l'autre déboutées le 20 février 2001[2] par la cour de Cassation. Cette jurisprudence est importante car elle met l'accent sur « la

1. « Dix photos face à la justice », *Le Monde*, 12-13 septembre 1999.
2. « La cour de Cassation réaffirme l'importance de la liberté d'information », *Le Monde*, 23 février 2001, Cécile Prieur.

liberté d'expression et d'information, garantie par la convention européenne des droits de l'homme ».

c) Assassinat du préfet Claude Erignac le 6 février 1998

Suite à la publication le 19 février 1998 dans le journal *Paris Match* de la photographie de la dépouille du préfet Erignac, la famille porte plainte. La cour d'Appel de Paris lui donne raison le 24 février. La cour s'est appuyée sur l'intimité de la vie privée de ses proches. « La publication de la photographie d'une personne au cours de la période de deuil de ses proches parents constitue, dès lors qu'elle n'a pas reçu l'assentiment de ceux-ci, une profonde atteinte à leur sentiment d'affliction, partant à l'intimité de la vie privée ».

2. Communication des images

Cession[1], prêt et location sont les trois modes de communication des images. Le choix entre ces différents modes est lié au public, au type de support communiqué et à l'objectif de la photothèque. Des conditions générales fixent les règles de diffusion, les responsabilités de l'utilisateur, les conditions de retour des documents et d'envoi des justificatifs. Elles figurent généralement au verso du bordereau de communication. Les responsabilités de l'utilisateur sont rappelées : communication pour une seule utilisation des documents, respect des mentions obligatoires, respect de l'œuvre, respect de la légende, respect du droit de la personne à son image, respect du droit du propriétaire du bien photographié et du droit de l'auteur sur son œuvre.

Préalablement à la mise en diffusion des images, la photothèque élabore un tarif en s'inspirant des barèmes en vigueur proposés par les associations et syndicats professionnels (UPC, SAPHIR, ANJRPC, SAPP…) ou en étudiant périodiquement les pratiques dans le secteur public.

1. Cession est un terme utilisé dans les fonds d'images qui ne recouvre pas les cessions de droits.

2.1 Mentions obligatoires

La mention du nom de l'auteur et la mention de réserve des documents ou Copyright sont obligatoires. Le droit à la paternité est une des composantes du droit moral. Il est perpétuel et incessible. Le terme « photo » doit être suivi du nom de l'auteur. *Exemple* : photo Gisèle Freund.

La mention de copyright signale à l'utilisateur que l'œuvre est encore soumise à des droits patrimoniaux. Si l'image est tombée dans le domaine public, cette mention n'aura pas lieu d'être.

La convention universelle sur le droit d'auteur stipule que les œuvres protégées dans un état membre de la convention doivent être signalées par un © – conformément à l'article 15 de la convention de Berne ratifiée par une centaine de pays – suivi du nom du titulaire du droit d'auteur + l'année de la première publication. Certains fonds d'images complètent par des mentions du type :
– tous droits réservés,
– reproduction et représentation interdites sans autorisation préalable
© photo Gisèle Freund – 1974
© photo Émile Carjat – Médiathèque du Patrimoine

2.1.1 Cas particulier

• *Droit à l'anonymat*
Le photographe peut demander à ce que son œuvre soit diffusée de façon anonyme, c'est-à-dire sans la mention de son nom.

• *Auteur inconnu*
Si, en dépit de recherches, l'auteur d'une image reste inconnu, il est conseillé d'utiliser la mention Photo « X » suivi du lieu de conservation. Il est également possible de mentionner « DR » ou « Droits Réservés » mais il est nécessaire de conserver des documents prouvant que des recherches sont réellement effectuées et ce, afin de pouvoir faire face à d'éventuelles contestations.

2.1.2 Mentions recommandées

Elles concernent les limites d'utilisation. Ces mentions doivent permettre de vérifier si les photographies sont communiquées dans les conditions prévues au contrat. Pour des photographies dont seuls les droits de reproduction ont été acquis, la communication pour un autre usage comme par exemple une exposition, sera impossible.

Pour une photographie représentant une œuvre artistique non tombée dans le domaine public, les agences et photothèques spécialisées dans le domaine de l'histoire de l'art signalent que la reproduction ou la représentation est soumise aux droits de l'auteur de l'œuvre qui s'ajoutent à ceux du photographe qui a réalisé la prise de vue. Ainsi l'agence Giraudon informe son client des droits respectifs par l'apposition du cachet de la société d'auteurs concernée (l'ADAGP par exemple).

2.2 Les modes de communication

Prêt, cession et location sont les trois modes de communication pratiqués.

2.2.1 Le prêt

C'est la remise gratuite de photographies pour une durée limitée avec restitution obligatoire. Le prêt permet un meilleur contrôle de l'utilisation des documents. Certaines agences demandent une caution restituée au retour des documents. Cette pratique s'exerce pour des nouveaux utilisateurs non encore identifiés en photothèque. La durée du prêt est variable selon le secteur : presse, édition ou publicité. L'usage est de 1 à 5 semaines pour la publicité, de 1 à 2 mois pour la presse et de 2 à 6 mois pour l'édition[1]. À l'expiration des délais, des droits de garde sont facturés.

2.2.2 La location

Comme le prêt, la location est prévue pour une durée déterminée. Les frais de location sont perçus au retour des documents. Ils sont généralement annulés en cas d'utilisation au profit des droits de reproduction ou de représentation.

1. Code des usages en matière d'illustration photographique, *ibid.*

2.2.3 La cession

Elle est gratuite ou payante. Dans les deux cas, l'utilisateur conserve le document après exploitation. Aucun original ne doit être cédé. La cession gratuite est pratiquée par les services de presse et de relations publiques. Les images ainsi diffusées sont exemptes de frais de droits d'auteur et de frais de gestion. L'utilisation de ces documents reste néanmoins restreinte à une période déterminée et à un contexte à caractère événementiel ou promotionnel. En dehors de cette période, la photographie bénéficie de la protection habituelle. La vente de tirages ou de duplicatas s'accompagne habituellement d'un paiement de droits d'auteur ou de frais de gestion.

Si la pratique de vente allège la photothèque du suivi de gestion, elle rend très difficile le contrôle de l'utilisation faite des documents cédés avec le risque de réutilisation sans autorisation.

2.3 Les outils de communication

Les modalités de prêt, de location ou de cession sont précisées dans les bordereaux de communication. À chaque mode de communication correspond un bordereau différent. Ils sont édités en plusieurs exemplaires intégrant pour le prêt et la location un bordereau de retour et un bordereau de rappel. Les associations et syndicats professionnels proposent trois types de bordereau-contrat pour le prêt correspondant aux domaines de la presse, de l'édition et de la publicité. Celui-ci est pré-édité ou imprimé à partir du système de gestion informatisée du fonds d'images.

2.3.1 Bordereau type

Le bordereau-contrat comprend 4 parties : identification de l'utilisateur, utilisation prévue, description des photographies et conditions générales. Il doit être daté et signé.

• *Identification de l'utilisateur*

CONTRAT N°
Par :
Et le Client :
Contact :
Adresse :
Tél : mel :
Personne accréditée :
Expédition : (coursier, poste, direct…)
Adresse de facturation :

• *Utilisation prévue*
L'emprunteur précise au préalable s'il s'agit d'une reproduction (presse, édition, publicité) ou d'une représentation (publicité, audiovisuel, exposition, internet).

Prêt pour choix jusqu'au :
Montant estimé :
Garantie, exclusivité :
Utilisation prévue à l'exclusion de toute autre :
Tirage de la publication :
Date de parution prévue :

• *Description des photographies*

Réf.	Légende	Photographe	Tirage Collect°	N/B tirage	Couleur original	Couleur dupli	Retour

Une agence photographique ou une photothèque détenant des images représentant des œuvres d'art précise par : musée concerné/auteur/technique. Sous le terme « technique », on entend : affiche, céramique, dessin, gravure, meuble, peinture et sculpture.

• *Conditions générales*
Les conditions de communication et d'utilisation des photographies sont mentionnées sur le bordereau. Voici les différents éléments à faire apparaître sachant qu'ils peuvent être développés au dos du document.

1-Toute réalisation photographique relève des termes du Code de la propriété intellectuelle du 1er juillet 1992. Les parties signataires du présent bordereau-contrat entendent ici se soumettre, pour toutes dispositions financières non présentes, aux usages en vigueur en matière photographique et notamment au Code des Usages établi entre le Comité Français du Droit d'auteur des photographes et le Syndicat national de l'édition.
2 - Les photographies sont notre propriété pleine et entière et doivent être restituées dans les délais convenus et en parfait état.
3 - Frais de recherche : Euros
4 - Frais de maquette par photographie : Euros
5 - Droit de garde par photographie : Euros
6 - Perte ou détérioration de diapositive originale ou de négatif par photographie : Euros
7 - Perte d'un duplicata couleur par photographie : Euros
8 - Perte d'un tirage noir et blanc ou couleur par photographie : Euros
9 - Détérioration d'un duplicata ou d'un tirage par photographie : Euros
10 - Tous les retours de photographies doivent être accompagnés du bordereau-contrat délivré au moment du prêt. La signature par l'agence de ce bordereau-contrat vaudra décharge.
11 - Le photographe décline toute responsabilité en cas de non-respect des légendes fournies

Généralement ce qui est succinctement mentionné au recto sera précisé au verso. Par exemple *4 – Frais de maquette* sera complété du montant fixé par l'agence et explicité au verso :

Toute intervention sur les photographies confiées (démontage du cache d'une diapositive, annotation, colorstat, maquette…) constitue une utilisation assimilée à la réalisation d'une maquette. Un droit de maquette par photographie sera perçu si la photographie n'a pas fait l'objet d'autre utilisation. La duplication est interdite sauf accord de l'agence.

2.3.2 L'envoi du justificatif

L'utilisateur s'engage à envoyer un justificatif de parution, c'est-à-dire un exemplaire de la publication après utilisation des images. Ce justificatif permet d'établir la facturation des droits de reproduction ou des frais de gestion. Les services iconographiques des maisons d'édition et les périodiques retournent les images et le justificatif accompagné d'un bordereau de retour.

2.3.3 Élaboration du tarif

Les tarifs des droits d'auteur ne figurent pas sur les bordereaux à l'exclusion des frais d'indemnité. Ils s'élaborent à partir des barèmes préconisés par les organismes et syndicats professionnels (UPC, SAPHIR...). L'UPC propose à ses adhérents des tarifs par catégorie :
– reproduction des photographies d'archives pour la publicité, reproduction non publicitaire des photographies, reproduction des photographies dans la presse,
– reproduction des photographies commandées par la presse féminine et familiale, reproduction des photographies dans les ouvrages de librairie,
– représentation de photographies, passage de photographies à la télévision.

Les tarifs portent sur les droits d'auteur, les frais de gestion, les frais d'indemnité et les frais techniques.

• *Les droits d'auteur*

Ils correspondent aux droits patrimoniaux de l'auteur qui recouvrent les droits de reproduction et les droits de représentation.

a) Droits de reproduction

Plusieurs critères sont pris en compte dans le montant :
– le type de publication (édition, magazine avec numéro de commission paritaire ou non, posters encartés dans les magazines, publicité),
– le type d'image (photographies d'illustration générale et d'archives, photographies dites « hors service », c'est-à-dire les photographies d'actualité, de premières parutions, – photographies sous-marines ou aériennes),
– le tirage, c'est-à-dire le nombre d'exemplaires,
– la place de la photographie dans la publication (couverture, in textes, hors textes),
– la nature de la photographie (noir et blanc ou couleur),
– les pays dans lesquels la diffusion est prévue (France, États-Unis, Europe, droits mondiaux).

b) Droits de représentation

Les tarifs sont fonction :

– du type de représentation exposition, montage audiovisuel, film, vidéo, télévision, internet,
– du nombre de documents représentés,
– du nombre de représentations,
– du public visé : projection interne, organismes culturels, publicité,
– utilisation à caractère culturel, pédagogique, promotionnel, commercial ou publicitaire,
– des pays où l'œuvre est exploitée,
– de la durée de représentation.

Les tarifs internet varient selon l'emplacement de la photographie (page d'accueil = home page ou à l'intérieur du site), temps de mise en ligne (une semaine, un mois, un an, au-delà d'un an). Toute reprise de photographies d'un magazine imprimé dans sa version web nécessite une renégociation des droits, la pratique actuelle étant forfaitaire.

Utilisation de photographies dans un vidéogramme, vidéodisque ou cédérom

Nombre d'œuvres	< 500	501 à 1 000	1 001 à 3 000	3 001 à 5 000	5 001 à 10 000	10 001 à 25 000	25 001 à 50 000	50 001 à 100 000
De 1 à 9								
De 10 à 49								
etc.								

Le découpage peut être culturel et promotionnel ou par nombre d'œuvres représentées. L'utilisation des photographies dans les mémoires optiques nécessite deux autorisations :

– le droit de reproduction pour le report sur un support optique,
– le droit de représentation au public sur mémoires optiques.

Le paiement de ces deux droits est fréquemment traité par évaluation forfaitaire.

Les droits d'auteur pour les œuvres d'art
Les reproductions d'œuvres d'art sont soumises à une autorisation préalable. Celle-ci doit être demandée à l'auteur de l'œuvre, au musée détenteur de l'œuvre ou à la société de gestion de droits mandataire de l'auteur. Généralement, les agences photographiques et les photothèques spécialisées en histoire de l'art servent d'intermédiaires.

Conditions particulières
Exonération, réduction ou majoration sont établies selon le public et l'utilisation. Une majoration est facturée pour un usage de droits européens et mondiaux ou pour non respect des conditions générales de communication.

• *Les frais de gestion*
Ce sont des frais administratifs de participation aux frais de fonctionnement du fonds d'images. Ils sont facturés généralement lorsqu'une sortie de photographies n'a pas été suivie de parution.

• *Les frais d'indemnité (recherche, usage de maquette, droits d'inspiration, droits de garde, droits pour pertes et détériorations)*
Le montant de ces frais est mentionné dans le bordereau de communication.
– Les *frais de recherche*, soit forfaitaires, soit calculés à l'heure, correspondent au travail de sélection réalisé par les iconographes du fonds d'images. Ils ne sont facturés que si la recherche n'est suivie d'aucune parution, à l'exclusion de la publicité.
– Les *frais d'usage maquette* sont les frais d'utilisation d'une image pour la réalisation d'une maquette ou d'un numéro zéro non commercialisé.
– Les *frais d'inspiration* correspondent à une utilisation des images comme source d'inspiration pour un dessinateur. L'inspiration correspond à une reproduction ; toutefois il est d'usage que l'emprunteur bénéficie d'une réduction.
– Les *droits de garde* sont les frais de dépassement de la date limite de prêt. Ces droits ne portent que sur les photographies non utilisées.
– Pour toute *perte ou détérioration* de document, l'agence ou la photothèque facture le dédommagement. Le prix varie selon qu'il s'agit d'un original unique ou d'un exemplaire. La diffusion d'images numérisées réduit ce type de frais et de charge.

• *Les frais techniques*
Ils correspondent aux frais de tirage ou de reproduction commandés à un laboratoire. Ils varient selon le type de travaux effectués et des tarifs que la photothèque a négociés.

La gestion des mouvements, c'est-à-dire le traitement des sorties et retours des documents, est facilitée par l'utilisation des codes barres. Pratique introduite depuis les années 90, elle est une sécurité de contrôle et un gain de temps considérable. De nombreux fonds d'images l'ont instauré : Rapho, Stills, Cosmos, Sipa Press, la mutualité agricole, le CNRS audiovisuel. La numérisation des collections et la diffusion de leurs images sur support informatique (cédérom, zip, FTP) entraînent progressivement un allègement de cette tâche.

3. Valorisation des images

Quel que soit son statut, agence photographique à vocation commerciale, photothèque d'entreprise à vocation promotionnelle ou musée à vocation culturelle, tout fonds d'images a besoin de faire connaître ses services.

En premier lieu, une étude de clientèle est nécessaire à partir de l'exploitation des demandes. Celles-ci sont systématiquement notées et quantifiées, y compris les recherches non abouties qui permettent de réajuster les commandes de reportages ou les acquisitions.

La mise en place d'une politique de valorisation résulte à la fois de l'étude des attentes des publics, des possibilités humaines et techniques de développer des produits et de les promouvoir. L'agence Vu, au cours de l'année 2000, a réalisé une enquête auprès des iconographes afin de tester un projet de réalisation d'un cédérom sur le travail. L'Institut de recherche pour le développement a élaboré depuis plusieurs années une charte de la Banque d'images Indigo Base à laquelle adhérent les scientifiques y déposant leurs images. Ainsi les gestionnaires de la base se chargent de diffuser les images et d'informer annuellement les chercheurs des utilisations effectives.

3.1 Variété des produits

Les prestations offertes peuvent être très diverses : bulletin d'information, recherche, produits promotionnels ou éditoriaux.

3.1.1 Le bulletin d'information

Il est périodique et régulier et présente les nouveaux reportages enregistrés et les expositions en cours. Les images et leurs légendes sont complétées de leur numéro de référence. Sa forme est multiple : édition papier, tirage de planche contact agrandie, édition électronique ou mise en ligne sur le site web de l'entreprise. Lorsque la photothèque est informatisée, le bulletin peut être réalisé directement à partir de la banque d'images « sur profil », c'est-à-dire à partir de critères définis au préalable. L'agence Rapho, la galerie Vu, le musée départemental Kahn, la galerie du Château d'Eau et le ministère de l'Équipement publient une lettre d'information sur support papier. Les agences photographiques mettent en ligne leurs derniers reportages (www.urbaimages.fr, www.ana.fr, www.photoceans.com, www.anzenberger.at). Renault-communication informe les services internes des nouveaux reportages non plus par la diffusion de planches contact agrandies mais par une rubrique dédiée sur l'intranet de l'entreprise. Le niveau rédactionnel est différent selon le profil des fonds d'images, certains rédigent des articles complétés de bibliographies autour d'un sujet (saison photographique hongroise, droit à l'image) ou d'un auteur (Jean-Loup Sieff, Raymond Depardon, Robert Doisneau) : *Noria* de la galerie municipale du château d'Eau de Toulouse, *Mots Écrans Photos* de la Maison européenne de la photographie, *Le Bulletin* de la Société française de photographie (www.sfp.photographie.com).

3.1.2 La recherche

C'est un des aspects importants du travail de documentaliste en audiovisuel. La recherche peut être rapide ou élaborée.

• *Le service questions-réponses*

Sa fonction est de renseigner l'utilisateur et de lui proposer une sélection d'images. Ce service doit être fiable et rapide. « Je recherche un reportage couleur sur l'inauguration du musée juif de Berlin de l'architecte Daniel Libeskind. » « Quels sont les photographes qui suivent les grands chantiers de la ville de Berlin ? »

• *La recherche documentaire*
Le dialogue avec l'utilisateur permet de préciser le sujet à illustrer, la place accordée à l'image, l'utilisation prévue et le style de la publication. Selon l'importance du travail de sélection, des frais de recherche sont parfois calculés quand aucune image n'est publiée.

3.1.3 Les produits promotionnels

• *Les catalogues de fonds d'images*
Les agences photographiques et les photothèques produisent leur catalogue sur support papier, support supplanté par l'édition électronique, moins onéreuse en coûts de fabrication, et permettant de traiter des volumes plus importants. L'édition électronique facilite la diffusion d'images de collections étrangères. L'agence Cosmos met à disposition des cédéroms édités par les photographes et les agences photographiques étrangères qu'elle diffuse. Lors de la consultation de cédérom, la commande d'images est possible directement par une liaison internet. Les photothèques informatisées avec un système de gestion de banque d'images peuvent paramétrer la réalisation de catalogues thématiques. Beaucoup de catalogues sur cédérom sont encore réalisés indépendamment de la gestion informatisée des fonds eux-mêmes. Certaines agences diffusent encore sur les deux supports (Tonystone, Superstock images).

• *Le Stock Book*
Le Book Éditions édite périodiquement un guide des agences photographiques sur cédérom avec une sélection d'images issues d'une trentaine d'agences indexées à partir d'une liste organisée de termes. La recherche proposée est simple ou multi-critères. L'édition 2000 intègre un accès direct en ligne sur le site www.cdtel.fr.

• *Vente de tirages photographiques de collections*
La vente de tirages se développe parallèlement à l'exploitation traditionnelle des images pour un usage privé ou pour constituer une collection. Les agences Rapho, Vu et Magnum photos, le musée départemental Kahn ainsi que l'association Patrimoine photographique valorisent ce service auprès de leur clientèle.

• *Les catalogues de vente*
Les catalogues de vente de photographies sont édités sur papier et mis en ligne sur internet : Bernard Dudoignon Photographies et son site www.photoconnexion.com ; la galerie hongroise Vintage Gallery et son site www.vintage.hu ; La galerie A l'image du grenier sur l'eau et son site www.photos-site.com. Artprice.com édite des outils pour suivre le marché de la photographie sur les trois supports : Photography Price indicator 2001 ; cédérom Works on Paper et le site www.artprice.com en accès réservé.

3.1.4 Les produits éditoriaux

Avec l'apparition des mémoires optiques dans les années 1990, la production éditoriale s'est développée de façon importante (vidéodisque, CD photo portfolio, cédérom et DVD). Il suffit de consulter dans le domaine culturel le catalogue des Éditions du Patrimoine ou de la Réunion des musées nationaux pour en avoir la confirmation. Deux types de produits coexistent : ceux qui sont réalisés à partir d'une sélection de la collection d'images et ceux qui résultent d'un programme éditorial plus large.

• *Programme éditorial multimédia de l'organisme*
Afin de faire connaître une époque, une personne ou de traiter un sujet à l'occasion d'une exposition, des produits sont réalisés souvent en partenariat avec plusieurs fonds d'images. La forme éditoriale peut être un ouvrage, un dialivre ou plus fréquemment un cédérom :
– Nadar, portraits, 1855-1870 de la *Caisse nationale des monuments historiques,*
– Le Louvre. Cent peintures ou musée d'Orsay. 100 peintures françaises des *Éditions de la Réunion des musées nationaux,*

– Man Ray, fautographe par les *éditions Télimage* prolongé ensuite par la création d'un site : www.manray-photo.com *avec l'ADAGP et la Sésam,*
– Paris au fil du temps par les *Archives nationales*,
– Encyclopédie de l'art moderne et contemporain de l'association *Vidéomuseum*,
– Tri Karten du *Conservatoire régional de la carte postale de Baud.*

Le patrimoine artistique est fortement représenté. En revanche, l'histoire événementielle et le secteur scientifique et technique ont peu investi l'espace éditorial :
– « *L'Équipe* », 50 ans de sport : 1946-1995 par le journal lui-même,
– Explorer le corps. Surfaces d'échange par l'*Institut national de la recherche médicale*,
– L'album du *musée des Arts et Métiers*,
– Aspirine, un comprimé de chimie du *Palais de la Découverte.*

• *Sélection du Fonds d'images = cédérom sur profil*
Les photothèques informatisées et numérisées peuvent réaliser des catalogues à partir de leur banque d'images selon des critères à définir tels que période, thème, artiste, photographe. L'avantage est certain car il permet de valoriser le travail de description et d'indexation des images préalablement effectué. Cette pratique se généralise avec des progiciels multimédia proposant dans leur gamme de produits l'édition de cédéroms à partir de la photothèque numérique. Le photographe Marc Garanger produit depuis 1988 des catalogues de sa production. L'association Vidéomuseum publie des cédéroms sur des thèmes choisis par ses membres :
– la peinture moderne au *musée des Beaux-Arts de Nantes,*
– la collection de Design du *Centre Pompidou.*

Les données sont exportées, images et notices descriptives associées. Le cédérom intègre le moteur de recherche du logiciel. Le CNRS audiovisuel et la mutualité agricole ont ainsi édité des catalogues sur cédérom à partir du logiciel westphoto. L'association Patrimoine photographique comme l'agence de la Réunion des musées nationaux ont réalisé leur cédérom à partir de leur base de données. Getty one, filiale de Getty images, a commercialisé quatre cédéroms issus de la collection Hulton Deutsch, archives photographiques de Hulton Press Library : Decades. Chaque cédérom traite d'une période : the 1920's, the 1930's, the 1950's, the 1960's.

3.2 Actions de communication

Faire connaître la photothèque, sa position dans l'entreprise, ses missions, ses produits est l'objectif de toute politique de communication. Les actions engagées portent sur un contenu précis à destination d'un public défini : création d'un nouveau produit, informatisation du fonds, achat d'une collection… Les moyens sont multiples, de la constitution de Press Book à l'élaboration d'une exposition photographique.

3.2.1 Le Press Book

Le book des images parues et le book du fonds d'images lui-même sont tous deux des supports qui donnent une vision de l'activité d'un service. Le premier rassemble les publications sur lesquelles la cote de chaque image est reportée, le second collecte les articles portant sur la photothèque, rapports d'activité compris.

3.2.2 Le document de présentation

Plaquette, affichette, carte postale, cédérom ou pages d'accueil sur internet sont autant de possibilités. La célèbre galerie municipale du Château d'Eau, créée par le photographe Jean Dieuzaide en 1974 à Toulouse, utilise les trois supports – plaquette, cédérom et site internet – en adaptant forme rédactionnelle et mise en page iconographique à la particularité éditoriale de ces différents outils de communication[1].

3.2.3 L'exposition

La réalisation d'expositions permet de faire découvrir les collections. Elles se centrent sur un thème ou une région (mois de la photo à Paris, 160 ans de photographies dans le Nord-Pas-de-Calais) et s'organisent avec ou sans partenaires (Images à la Cité des Sciences et de l'Industrie, Regards objectifs au château de Blois). Les fonds sélectionnés sont souvent restaurés, voire numérisés, à cette occasion. L'exposition s'accompagne de l'édition d'un catalogue parfois avec une version en ligne (exposition Étienne-Jules Marey

1. www.galeriechateaudeau.com

de l'espace Electra : www.expo-marey.com) et de cartes postales. Des visites virtuelles sont également progressivement proposées.

3.2.4 Mise en réseau des sources documentaires

Rassembler des sources et mettre en réseau les savoirs est une pratique déjà ancienne. Le réseau URBAMET, créé en 1978, en est un exemple. Les règles qui régissent le réseau sont très liées aux exigences que se donnent les partenaires : juxtaposition de bases de données et règles communes de diffusion, mise en place d'une interface web, création d'une base de données centrale avec méthode de travail commune, politique éditoriale partagée…

Les modalités de convention entre partenaires sont de plus en plus modulaires avec le développement de la technologie web mais l'aspect juridique lié aux images reste un critère discriminant. Le réseau Libris (LIbraries for the Regional Information Society), base de données multimédia en cours de constitution sur l'histoire régionale du Nord-Pas-de-Calais, intègre les images qui sont dans le domaine public et les images plus récentes déposées avec une autorisation particulière[1].

Dans le contexte commercial, c'est l'aspect économique qui est le moteur. Ainsi l'Agence France Presse, à la suite d'accords contractualisés, diffuse par son réseau imageforum des sélections d'images numérisées des agences Roger Viollet, PPCM, Pictor et Rex features. Cosmos, quant à elle, distribue sur la France l'agence autrichienne Anzenberger. La jeune agence Photos12, créée en 2000, vend des images à un prix unique à travers son site www.photos12.com et distribue depuis peu le remarquable fonds photographique de la Société française de photographie[2]. L'agence Iconos distribue des sélections de neuf agences dont Roger Viollet, Jacana et Vandystadt. Dans le secteur scientifique et culturel, les initiatives se développent et mettent l'accent sur la synergie de travaux (numérisation, méthode documentaire, choix d'un logiciel…).

Citons trois réseaux français :

1. « La banque de données images de la région Nord », *La Gazette des archives,* 1998, n° 180-181, pp. 61-70.
2. SFP & Cie, « Les collections de la société française de photographie dans la net économie », *Bulletin de la SFP,* 7e série, n° 8, juin 2000, p. 9.

– l'association des conservateurs de musées du Nord Pas de Calais et son site musenor.org,
– l'association vidéomuseum, réseau de collections d'art moderne et contemporain et son site videomuseum.fr.
– le serveur d'images médicales et scientifiques Serimedis et son site serimedis.tm.fr

3.3 Le Site.Net

L'évolution informatique et la facilité d'utilisation des navigateurs rendent possible la création d'un site. Sur ce point de nombreux ouvrages et sites abondent en conseils et adresses. La réflexion à mener est plus d'ordre stratégique que technique. Elle doit porter sur l'utilisation attendue d'une telle réalisation :
– réserver des pages dédiées à la photothèque sur l'intranet de l'entreprise ?
– créer un site intranet spécifique mentionné sur le portail ?
– offrir un bulletin d'informations accessible par abonnement via la messagerie ou en ligne ?
– rendre le site accessible sur internet avec un accès professionnel réservé aux adhérents ?
– intégrer sur le site la banque d'images ?

Plusieurs niveaux d'information sont possibles : intranet, extranet, internet. L'intérêt majeur du choix est de mettre en valeur les fonds d'images, de développer les échanges en diffusant les informations à une plus grande échelle. La mise en ligne de la banque d'images peut entraîner des développements (module commande d'images) ou un travail rédactionnel indispensable pour offrir aux utilisateurs non spécialistes un accès guidé (recherche à partir d'une liste de dossiers ou d'un plan de classement de préférence à une interrogation du thésaurus, abonnement à un bulletin comme « News letter » réalisé par SDIG Scan Corporate pour Gaz de France).

Votre site peut proposer en intranet , extranet ou internet

Prestations	Lieux d'applications
Nouveautés, Bulletin d'informations	Iaurif, Rapho, Magnum photos Renault-communication, Médiathèque Gaz de France
Guide de présentation	Société Deleplanque, INRIA, galerie municipale du château d'eau, CNRS , musée de la Musique
Exposition virtuelle	Musée Nièpce
Accès à la banque d'images par recherche guidée de type classificatoire (sujet, direction, produit) ou de type éditorial (dossiers thématiques)	Yves Rocher, photos12, Médiathèque Gaz de France, Man Ray Trust, INRIA
Accès à la banque d'images par recherche professionnelle (texte intégral et/ ou thésaurus)	Sérimedis, CNRS, INRIA, musée de la Musique
Accès par code (gratuit ou par abonnement)	Image bank, AFP, Reuters, Gamma, Iconos
Accès libre	Agence de la RMN, patrimoine photographique, base joconde et base mémoire du ministère de la Culture
Images en haute définition	Base images de Vivendi Universal Éducation, Gamma, AP, Reuters, AFP
Commande par messagerie	Sté deleplanque, Giraudon
Commande par un module de gestion élaborée	Renault-communication, Médiathèque Gaz de France, Vivendi Universal Éducation
Vente de cédéroms et d'images	Photos12, Iconotec

Les fonds d'images se mettent « en ligne » afin de se diffuser plus largement au sein de l'entreprise ou auprès d'une clientèle externe. Cette facilité apparente d'accès nécessite une étude d'organisation tant pour la diffusion professionnelle que pour la promotion.

En guise de **conclusion**, voici un extrait issu de l'article « Exposer la photographie sur le web », *Bulletin de la SFP,* 7e série-n° 9, juin 2000 :

> « Si le texte a aujourd'hui ses règles sur le web, la photographie peine encore à trouver un véritable mode d'expression propre et ludique qui

n'entrave pas la liberté de l'internaute. À l'examen des différentes “expositions” qui fleurissent çà et là sur la toile, il paraît urgent de trouver une alternative à l'éternel placardage des vignettes devant lequel le visiteur s'épuise et se noie bien souvent. »

ANNEXES

1. ADRESSES

Organismes de référence
Centre de recherche sur la conservation - CRCDG
Muséum national d'histoire naturelle
36, rue Geoffroy-Saint-Hilaire, 75005 Paris
Tél :01 44 08 69, mel : crcdg@mnhn.fr
Centre National de la Photographie, www.cnp-photographie.com
Maison européenne de la Photographie,www.mep-fr.org
SESAM http://www.sesam.org/
Société civile des auteurs multimédia - SCAM http://www.scam.fr/
Société des auteurs dans les arts graphiques et plastiques – ADAGPwww.adagp.fr
Société des auteurs des arts visuels et de l'image fixe - SAIF http://saif.free.fr/
Syndicat national des agences photographiques d'illustration générale - SNAPIG http://perso.wanadoo.fr/snapig
Union des photographes créateurs- UPC http://www.upc.fr/

Magazines & revues
Chasseur d'images http://www.photim.com/
Version web du mensuel intégrant propose petites annonces et conseils techniques.
Études photographiques http://www.etudes.photographie.com/
Articles en ligne de la revue semestrielle éditée par la Société française de photographie.
Les ateliers Lumière http://www.lesatelierslumiere.org/
Magazine virtuel sur le photojournalisme et la photographie : actualités et techniques.
Photo http://www.photo.fr/
Version web du mensuel intégrant les rubriques : actualité, forum, petites annonces.
Photographie.com http://www.photographie.com/
magazine virtuel consacré à la photographie : actualités, expositions et activités.
Revue Photographie http://www.revue.com/
Revue en ligne animée par un groupe de photographes pour présenter leurs images.
Visuel image http://www.visuelimage.com/
Actualité de la création visuelle, vente d'images en ligne, nombreux liens.

2. Petit Glossaire

Editing : sélection réalisée par l'organisme diffuseur des images. Elle s'effectue à partir de tirages de travail, sur la planche-contact photographique, chimique ou numérique. La personne chargée du choix est appelée éditeur.

Marquage filigrane *(watermarking)* : cette technique consiste à insérer un identifiant dans l'œuvre (nom de l'auteur, titre de l'œuvre, numéro d'identification, diffuseur le cas échéant). La modification apportée à l'image est indécelable à l'œil nu.

Mission héliographique : premier recensement photographique du patrimoine architectural français. Cinq photographes furent choisis à titre d'auteurs : Baldus, Bayard, Le Secq, le Gray et Mestral.

Tatouage des images : cette technique consiste à apposer un tampon qui rend l'image inutilisable commercialement. Elle nécessite la numérisation des œuvres. Le procédé de marquage DIGIMARC (PictureMark) est conçu de la façon suivante : enregistrement du créateur auprès du centre DIGIMARC qui donne une immatriculation aux œuvres, à charge pour l'auteur de marquer ses œuvres avec Photoshop ou Coreldraw avant de les adresser au centre DIGIMARC qui certifie ensuite sa provenance. Le seul inconvénient de cette technique est l'altération de l'aspect visuel de l'image. Pour se procurer l'image, la personne intéressée doit contacter le centre DIGIMARC pour identifier l'auteur de l'œuvre et négocier directement.

Remerciements

Marie-Berthe Jadoul, Consultante, Irène Kamenka, La Documentation Française, et tout particulièrement Brigitte Finot, Bibliothèque nationale de France.

BIBLIOGRAPHIE

Les articles, revues ou ouvrages cités en note de bas de page ne sont pas reportés dans cette sélection.

AMAR, Paul-Jean, *Le Photojournalisme*, Paris, Nathan université, 2000 (image 128).

Annuaire de la communication visuelle, Paris, Éditions Le Book, 2001 [en ligne] http://www.lebook.cdtel.fr

BARTHES, Roland, *La Chambre claire*, Paris, Cahiers du cinéma, Éd. du Seuil, Gallimard, 1980.

BERTRAND, André, *Droit à la vie privée et droit à l'image*, Paris, Éditions Litec, 1999.

CANITROT, Armelle, LUTZ-SORG, Stéphane, *Publier une illustration mode d'emploi*, Paris, CFPJ, 1992.

CONSEIL INTERNATIONAL DE LA LANGUE FRANÇAISE, *Dictionnaire de la photographie. index anglais et allemand*, Paris, Conseil international de la langue française, 1990.

Conservation et restauration du patrimoine photographique : Actes du colloque de novembre 1984, Paris, Paris Audiovisuel, 1985.

DÉFALO, Henri, *Répertoire de ressources internet sur l'indexation des images,* Genève, Haute école de Gestion [en ligne] :

http://www.geneve.ch/heg/campus/travaux/id/webliographies.html

Dictionnaire mondial de la photographie, des origines à nos jours, Paris, Larousse, 1994.

Le Droit d'auteur et l'Internet, Rapport du groupe de travail de l'Académie des sciences morales et politiques présidé par Gabriel de Broglie, Paris, PUF, 2001 (Cahiers des sciences morales et politiques).

L'Invention d'un art, Paris, Adam Biro, Centre Georges Pompidou, 1989.

Gérer une photothèque. usages et règlements, 2e édition, Paris, La Documentation Française, 1994 (Interphotothèque).

GERVEREAU, Laurent, *Décrypter les images*, Paris, Groupe Image, 2001 *(cédérom, DVDrom).*

GOMBRICH, Ernst Hans, *L'Art et l'illusion : psychologie de la représentation picturale*, Paris, Gallimard, 1996.

Histoire de voir, Paris, Centre National de la Photographie, 1989 (collection photopoche).

LAMBERT, Frédéric, *Mythographies, la photo de presse et ses légendes*, Paris, Edilig, 1986.

LAVÉDRINE, Bertrand, GANDOLFO Jean-Paul, MONOD Sibylle, *Les Collections photographiques, guide de conservation préventive*, Paris, Arsag, 2000.

MARCELLIN, Yves, *Photographie et loi*, Paris, Cédat, 1997 (Le droit en poche).

Mon œil : magazine des iconographes, Paris, Association nationale des iconographes, depuis 1999.

MORA, Gilles, *Petit lexique de la photographie*, Paris, Éditions Abbeville, 1998.

NAGGAR, Carole, *Dictionnaire des photographes*, Paris, Le Seuil, 1982.

Nouvelle Histoire de la photographie sous la direction de Michel Frizot, Paris, Larousse, 2001.

PANOFSKY, Erwin, *L'Œuvre d'art et ses significations, essais sur les arts visuels*, Paris, Gallimard, 1969 (Bibliothèque des sciences humaines).

Le Patrimoine photographique, *La Gazette des archives*, numéro hors série, décembre 1998.

Le Photojournalisme, informer en écrivant avec des photos, 2e édition, Paris, CFPJ, 1992.

PLÉCY, Albert, *La Photo, art et langage : grammaire élémentaire de l'image*, 2e édition, Paris, Marabout, 1976.

PLÉCY, Albert, *Albert Plécy, hommes d'images*, Arles, Actes Sud, 1997.

Le Répertoire des photographes de France au XIXe siècle, Paris, Éditions du Pont de Presse, 1993.

ROSENBLUM, Naomi, *Une nouvelle histoire de la photographie*, Paris, Abbeville Press, 1992.

ROUILLÉ, André, et LEMAGNY, Jean-Claude, *Histoire de la photographie*, 2e édition, Paris, Larousse, 1995.

SONNTAG, Susan, *Sur la photographie*, Paris, Christian Bourgeois éditeur, 3e éd, 1993.

Le Traitement documentaire de l'image fixe, Paris, Bibliothèque Publique d'Information, 1985 (Dossier technique n° 3).

Vous avez dit photographie? Guide des lieux et des activités de la photographie en France, Paris, La Documentation française, 1995 (collection Photodoc).

N° d'éditeur : 10081413 - I - (2) OSBS 80 AXEL
Dépôt légal : mars 2002 - N° d'imprimeur : 02/334p